SEXUALIDADE SEM FRONTEIRAS

Dados Internacionais de Catalogação na Publicação (CIP)
(Câmara Brasileira do Livro, SP, Brasil)

Gikovate, Flávio
 Sexualidade sem fronteiras / Flávio Gikovate. – São Paulo :
MG Editores, 2013.

ISBN 978-85-7255-094-9

1. Conduta de vida 2. Homens - Comportamento sexual
3. Mulheres – Comportamento sexual 4. Sexo (Psicologia) I. Título.

12-13554   CDD-155.3

Índice para catálogo sistemático:

1. Comportamento sexual : Aspectos psicológicos 155.3

www.mgeditores.com.br

Compre em lugar de fotocopiar.
Cada real que você dá por um livro recompensa seus autores
e os convida a produzir mais sobre o tema;
incentiva seus editores a encomendar, traduzir e publicar
outras obras sobre o assunto;
e paga aos livreiros por estocar e levar até você livros
para a sua informação e o seu entretenimento.
Cada real que você dá pela fotocópia não autorizada de um livro
financia o crime
e ajuda a matar a produção intelectual de seu país.

SEXUALIDADE SEM FRONTEIRAS

Flávio Gikovate

MG EDITORES

SEXUALIDADE SEM FRONTEIRAS
Copyright © 2013 by Flávio Gikovate
Direitos desta edição reservados por Summus Editorial

Editora executiva: **Soraia Bini Cury**
Editora assistente: **Salete Del Guerra**
Capa: **Alberto Mateus**
Projeto gráfico e diagramação: **Crayon Editorial**
Impressão: **Sumago Gráfica Editorial**

MG Editores
Departamento editorial
Rua Itapicuru, 613 – 7º andar
05006-000 – São Paulo – SP
Fone: (11) 3872-3322
Fax: (11) 3872-7476
http://www.mgeditores.com.br
e-mail: mg@mgeditores.com.br

Atendimento ao consumidor
Summus Editorial
Fone: (11) 3865-9890

Vendas por atacado
Fone: (11) 3873-8638
Fax: (11) 3873-7085
e-mail: vendas@summus.com.br

Impresso no Brasil

Sexualidade sem fronteiras

1
um

Pensei que não fosse mais escrever nada, que as ideias essenciais elaboradas ao longo desses 46 anos de trabalho já estivessem repetidamente registradas em dezenas de livros e centenas de artigos. Pensei também que minhas últimas quatro obras fossem a versão final e suficientemente bem elaborada das minhas reflexões. Este não é um texto longo. Trata-se de um anexo, um complemento do último livro (*Sexo*, publicado pela MG Editores em 2010). Porém, como acredito que as reflexões aqui contidas podem constituir uma contribuição relevante para desfazer alguns dos maiores mal-entendidos relacionados com esse que talvez seja um dos aspectos mais complexos da psicologia humana, decidi transformá-lo num trabalho à parte.

Os que me têm acompanhado sabem que um dos pilares das minhas reflexões acerca da nossa subjetividade diz respeito à radical diferenciação que faço entre amor e sexo: amor é um fenômeno homeostático, interpessoal por excelência, e um prazer negativo (dependente de um sofrimento prévio que o sentimento pretende desfazer); o sexo corresponde a um desequilíbrio homeostático prazeroso, cujas primeiras

Sexualidade sem fronteiras
Flávio Gikovate

manifestações são claramente autoeróticas, e a um prazer positivo (não depende de nenhum sofrimento anterior nem o desfaz).

O amor deriva da sensação de incompletude que experimentamos desde o nascimento, e a sensação de paz e aconchego que o caracteriza tem que ver com o elo que se estabelece entre o bebê e sua mãe. O sexo se manifesta quando a criança, no fim do primeiro ano de vida, começa a se reconhecer como ser autônomo; corresponde à agradável sensação que ela experimenta ao tocar certas partes do próprio corpo (as zonas erógenas). O sexo se manifesta assim que se inicia o processo de constituição da individualidade da criança, do seu desejo de entender e apreender o mundo que a cerca; é concomitante com o aprender a andar, com o balbuciar das primeiras palavras, indício de que seu *software* começa a operar com alguma autonomia. A criancinha passa a ter vontades próprias e seu cotidiano se alterna entre o prazer de ficar aconchegada no colo da mãe (amor) e caminhar ao redor dela, colocando tudo que encontra na boca, descobrindo paladares, texturas, cheiros e também a serventia e o modo de funcionamento dos objetos.

As primeiras manifestações eróticas surgem justamente do esforço de conhecer também o próprio corpo, suas reentrâncias e propriedades — entre elas, que tipo de sensação o toque provoca. A observação direta do comportamento das crianças entre 1 e 2 anos de idade confirma de modo inquestionável as considerações que estou descrevendo. **A criança vivencia três tipos de pra-**

Sexualidade sem fronteiras
Flávio Gikovate

zer distintos: o aconchego amoroso (ao qual recorre sempre que se sente mal ou em apuros), o gosto por conhecer tudo que encontra pela frente, além do prazer indiscutível que experimenta ao tocar suas zonas erógenas. Com o tempo, o prazer da excitação derivada da manipulação dessas partes do corpo vai se tornando mais e mais observável, em especial nas meninas (que parecem ter no clitóris uma fonte de excitação maior do que a que os meninos sentem ao tocar seu pênis).

Considerar a sexualidade infantil autoerótica faz parte do modo de pensar da psicologia que tem reinado desde o início do século XX. O autoerotismo é, claro, fenômeno baseado na excitação, sensação de inquietude que depende da estimulação direta (por toque manual ou por meio de outro recurso externo) das zonas erógenas. **O autoerotismo não implica, pois, nenhum objeto externo.** Nesse ponto começam as divergências e, a meu ver, o início da confusão: ao considerar amor e sexo parte do mesmo tipo de impulso, Freud e seguidores passaram a acreditar na presença de um desejo, especialmente nos meninos, em direção da mãe. **Há décadas me insurjo contra esse modo de pensar, visto que o que une o menino à sua mãe é o amor e não o sexo; é o amor o sentimento gerador de ciúme no pai (já que ambos amam a mesma mulher).**

O desejo sexual, como registro com veemência em meu livro sobre o sexo, se distingue radicalmente da excitação: desejo implica objeto externo a ser alcançado, no qual se pretende roçar as zonas erógenas com o intuito de

Sexualidade sem fronteiras
Flávio Gikovate

daí extrair um prazer especial.[1] O desejo, no sentido sexual, é indiscriminado; é o que ocorre com frequência aos homens adultos, sensíveis à aparência física e à sensualidade de inúmeras mulheres todos os dias. Por essa razão, afora os casos em que o objeto externo seja muito específico (em geral, o objeto do amor) e, até certo ponto, excludente, não convém pensar no desejo indiscriminado como um fenômeno efetivamente interpessoal.

Durante a infância, não creio que seja adequado pensarmos em desejo sexual: meninos e meninas trocam carícias de forma indiscriminada e o fazem, mais que tudo, tentando imitar o que observam existir entre adultos. Eles provocam excitação equivalente à que sentiriam se cada um tocasse a si mesmo. O fenômeno é claramente autoerótico ao longo de toda a infância. Além disso, funda-se em excitação e não em desejo — que, quando existe, envolve objetos de amor (desejo de companhia e aconchego).

---

1 "Desejo" é um termo genérico usado tanto no sentido erótico como quando relacionado aos anseios sentimentais específicos (que aí devem ser separados de necessidades práticas da presença do outro). Na infância, costuma estar direcionado à mãe. A figura materna é objeto de desejo amoroso e não sexual. Desejo também se usa para descrever a vontade de possuir algum bem material precioso que nos falta.

dois

Ao longo dos 4 ou 5 anos de idade, surgem as primeiras manifestações da vaidade, prazer erótico (de novo, autoerótico) de se exibir, chamar a atenção para si, atrair olhares de admiração. "Vaidade" é um termo que desapareceu do vocabulário psicanalítico, tendo sido substituído por "narcisismo". Acho isso péssimo, pois este último vocábulo reforça a confusão acerca das eventuais associações entre autoerotismo e amor por si mesmo, ou seja, entre sexo e amor. Em minha maneira de ver, não existe amor por si mesmo (esse sentimento é sempre direcionado a alguém e tem objeto definido). O termo "narcisismo", além de ser usado como manifestação autoerótica da vaidade e de amor por si mesmo, também costuma ser utilizado como sinônimo de egoísmo, o que complica ainda mais questões relativamente simples, uma vez que a vaidade está presente, por vezes bem forte, entre aqueles que são generosos. Não vejo vantagem em gerar confusões em vez de tentarmos simplificar e clarear, voltando a usar termos tradicionais de sentido consagrado.

Essa associação indevida entre o fenômeno amoroso e os impulsos sexuais, especialmente ao longo da infân-

Sexualidade sem fronteiras
Flávio Gikovate

cia, foi responsável por dificuldades de aceitação da psicanálise, uma vez que a ideia da existência de uma sexualidade infantil já não era fácil de ser "digerida" — ainda mais se acoplada ao amor, colocando a mãe como objeto de desejo sexual (o que não é fato observável).

Associar sexo a amor, não distinguir excitação (sensação de inquietação íntima que não se dirige a nada nem a ninguém) de desejo (que implica obrigatoriamente a busca de uma coisa ou pessoa externa a nós e pela qual ansiamos), não reconhecer a vaidade como fenômeno puramente erótico e confundi-la com narcisismo (termo com três significados imprecisos) e, portanto, não distinguir claramente fenômenos pessoais de interpessoais não poderia deixar de levar as questões da subjetividade humana a becos sem saída, a complexidades desnecessárias e a desconfortos psíquicos quase universais.

três

Penso no sexo como um fenômeno pessoal até mesmo na fase adulta das pessoas. Ele só se torna interpessoal quando acoplado ao amor, condição peculiar na qual perde muitas de suas propriedades, inclusive essa, autoerótica e comprometida com a individualidade. Ainda assim, mesmo nas situações mais românticas, o clímax sexual é vivência individual e solitária: os amantes fecham os olhos e ficam totalmente submetidos às suas sensações eróticas por alguns preciosos segundos. É evidente também que, após a descarga sexual, surge uma espécie de reencontro intenso e altamente gratificante: a sensação de vazio e solidão que se experimenta ao trocar carícias eróticas com um parceiro impessoal inexiste quando se está junto da pessoa amada.

Em virtude do surgimento do desejo visual masculino a partir da puberdade (ele inexiste ao longo da infância e chega com a maturação sexual), é fácil pensarmos no sexo como um fenômeno interpessoal, pois o desejo sempre se dirige a algo que nos é externo e do qual queremos nos apropriar. Registro mais uma vez que a regra é a da inexistência do desejo visual nas mulheres, que se excitam ao se perceberem desejadas pelos homens. Registro

# Sexualidade sem fronteiras
Flávio Gikovate

também que, ao menos no passado, esse fato era motivo de grande mágoa masculina, pois, aos olhos deles, implicava grande e inesperado privilégio feminino. As mulheres, cientes de seu poder, sempre cuidaram muito da aparência física, buscando adornos capazes de aumentar ainda mais seus dotes. O objetivo era (e é) claro: despertar o desejo do maior número possível de homens, especialmente daqueles por quem tinham particular interesse.

É óbvia a importância dessas peculiaridades inatas da nossa sexualidade sobre a história cultural que fomos capazes de construir. Os homens se apropriaram dos espaços públicos com o intuito de extrair os poderes capazes de neutralizar aqueles ligados à sensualidade feminina. Elas foram excluídas desse espaço e oprimidas das mais diversas formas. Os homens, mesmo os mais poderosos e inteligentes, sempre gostaram de tratar as mulheres como seres inferiores, sendo muitos os textos dedicados a reafirmar a superioridade masculina. Acredito que a psicologia da primeira metade do século XX também sofreu a influência dessa ideologia, de modo que a descrição do feminino sempre foi relacionada a uma forma mal-acabada do que seria o masculino. Os fatos ocorridos a partir da Segunda Guerra Mundial, especialmente depois do surgimento da pílula anticoncepcional, têm mostrado boa parte desses equívocos e a urgência de uma revisão de todos os conceitos que norteavam as reflexões até então. **Tratar de entender o feminino com autonomia é uma das tarefas mais prementes da psicologia dos nossos dias.**

quatro

Levo a sério a ideia de que somos criaturas biopsicossociais. Ou seja, nascemos com determinadas propriedades que poderão interferir bastante na forma como encaminharemos a vida (e como ela será encaminhada em função do choque entre o modo como nascemos e o meio cultural que encontramos). A partir do segundo ano de vida, vamos constituindo uma forma peculiar de pensar e de decodificar tudo que nos cerca e também o que se passa em nosso íntimo. Esse nosso *software* sofre, é claro, enorme influência familiar e daqueles com os quais convivemos nos primeiros anos de vida. Tudo que somos, tanto do ponto de vista biológico quanto psicológico (nossa forma própria de decodificar a realidade externa e interna), se relacionará com as outras pessoas da comunidade. Seremos influenciados por elas e as influenciaremos. Seremos introduzidos ao conjunto das crenças que norteiam e regulamentam aquele grupo social; nos adaptaremos ou não a elas em função do modo como nascemos e pensamos. A complexidade dessa inter-relação é óbvia e a ela teremos de nos dedicar com muito cuidado e afinco se quisermos de fato avançar no entendimento da questão sexual.

Sexualidade sem fronteiras
Flávio Gikovate

As crenças correspondem a um conjunto de convicções compartilhadas por dada comunidade que são transferidas de uma geração para a outra (Ortega y Gasset). Elas correspondem, pois, a conceitos que aceitamos sem termos refletido profundamente sobre seus fundamentos. Elas fazem o papel de ideias, como se fossem fruto de constatações nossas. Trazemos dentro de nós uma série de crenças que defendemos como se fossem ideias próprias. Só tratamos de refletir acerca de seu conteúdo em momentos de crise, quando elas se mostram totalmente incompetentes para explicar o que estamos vivenciando ou o que está nos acontecendo. As crenças correspondem a ideias prontas que transmitem valores que talvez fizessem sentido para o modo de vida das gerações anteriores, mas hoje nos impedem de pensar com liberdade.

Tendemos a nos apegar às crenças porque elas nos transmitem uma sensação de segurança e estabilidade. É como se fossem os alicerces sobre os quais nos sustentamos intelectual e emocionalmente. Quem se fia demais nelas torna-se incompetente para evoluir, com pensamentos cristalizados e pouco criativos. Abandonar as crenças implica entrar num mar de dúvidas, o que gera insegurança e medo na grande maioria das pessoas. Porém, é com base nas dúvidas e no vazio derivado da renúncia às crenças que poderemos começar a elaborar novas ideias, essas sim produzidas por e provavelmente mais de acordo com o que vivenciamos e com o que se apresenta, nos dias de hoje, aos nossos olhos.

Sexualidade sem fronteiras
Flávio Gikovate

Aqueles que não conseguirem se desvencilhar de suas crenças dificilmente serão capazes de seguir nessa aventura intelectual a que estou me propondo. As chances de erro quando abandonamos velhos paradigmas são sempre muito grandes. Nunca me senti intimidado por isso, pois penso que os enganos são inevitáveis nas aventuras intelectuais honestas. Além disso, o tempo se encarrega de colocar de lado nossos equívocos e de separá-los das ideias que terão efetiva serventia. Apenas um alerta: os novos pontos de vista, quando bem-aceitos, tendem a se transformar em crenças para as gerações seguintes, as quais passam a se guiar por elas de forma pouco crítica. O bom discípulo nunca se fia nas crenças; é aquele que pensa por conta própria e trata de avançar, contribuir para o progresso da ciência que escolheu como ofício.

As crenças mais fortes que moldaram o modo de pensar da geração da qual faço parte (a dos que se tornaram adultos ao longo da segunda metade do século XX) podem ser o ponto de partida dessas considerações acerca do papel da cultura em nossa vida sexual. É claro que muitos desses conceitos estão em rápida evolução, sendo ainda difícil precisar quais serão seus desdobramentos. A homossexualidade masculina era tida como terrível e sua manifestação era vista como certa caso não fosse fortemente reprimida. Isso era o que justificava a enorme preocupação das famílias com o desenvolvimento das características viris consideradas essenciais e tidas como próprias dos meninos: competência agressiva, coragem, preferência por atividades esportivas competitivas e brincadeiras típicas (empinar pipas, matar pássaros com estilingue, jogar futebol de botão e assim por diante). A preocupação também se estendia para o inverso: não deveriam se interessar por bonecas, por atividades domésticas, por atividades artísticas e outras práticas que eram típicas das meninas. As mães se afligiam com essas questões tanto quanto os pais. **As contradições femininas eram óbvias, porém negligenciadas: elas propunham**

Sexualidade sem fronteiras
Flávio Gikovate

aos filhos que aprendessem a ter quase todas as condutas de que tanto reclamavam nos maridos.

A preocupação com o desenvolvimento das prendas tipicamente femininas por parte das meninas era pequena. Elas podiam ser mais "molecas", gostar de subir em árvores, andar descalças e até mesmo brincar com os meninos e participar de suas práticas esportivas. A ideia era a de que, quando a adolescência chegasse, elas se tornariam naturalmente mais dengosas e femininas, abandonando essa conduta mais viril. Isso de fato era o que acontecia. Hoje me pergunto: por que tanto pais quanto mães tinham tanta certeza disso? A única resposta que encontro é a que todos tinham uma opinião unânime, apesar de nem sempre clara e consciente: a partir da adolescência, a condição feminina era indiscutivelmente a mais favorável, de modo que, ao perceberem isso, elas não titubeariam em aderir ao padrão tradicional.

Os papéis que definiam os gêneros eram bem claros e estereotipados: aos homens cabiam as funções de provedor principal (mesmo que as mulheres trabalhassem fora), protetor (responsável pela segurança da esposa e dos filhos), além de executor de tarefas domésticas relacionadas com conserto de equipamentos elétricos (e depois também à montagem dos eletrônicos), manutenção de automóveis etc. O gênero feminino se ocupava das prendas domésticas (mesmo que trabalhassem fora), dos filhos, dos reparos quanto a vestuário. Elas tinham atividades manuais que lhes eram próprias (tricô, por

Sexualidade sem fronteiras
Flávio Gikovate

exemplo) e se entretinham com programas específicos no rádio, assim como depois na TV. Os homens se interessavam por certos tipos de programa — esportes e filmes de aventura. As mulheres, por filmes mais românticos. Quando juntos, prevaleciam a regra e os gostos masculinos. Com mais liberdade de circulação, os homens podiam se encontrar com os amigos no fim do expediente, enquanto as mulheres deveriam ficar em casa ou apenas visitar amigas e parentes.

As diferenças de gênero eram extraordinariamente marcadas. O sexo (propriedades inatas de caráter anatômico e hormonal) definia o gênero (o modo como os membros daquele sexo deveriam se comportar), e membros de um sexo não poderiam ter gostos próprios do outro gênero. Isso era particularmente verdadeiro, como vimos, para os meninos (e depois também para os homens). O gênero masculino era tido como o mais interessante, pois usufruía de privilégios inacessíveis às mulheres. Apesar disso, o pavor da homossexualidade masculina era enorme e a preocupação com a homossexualidade feminina, desprezível. Essa é outra contradição mais que evidente.

seis

Não tenho conhecimento suficiente para avaliar como se formaram todas as nossas crenças. Mas acho conveniente ressaltar que elas, mesmo as que hoje nos aparecem como absurdas proibições religiosas (veto ao uso de recursos anticoncepcionais e repressão da masturbação, por exemplo), um dia fizeram sentido. Numa época em que era essencial o "crescei e multiplicai-vos", qualquer coisa que diminuísse as chances de reprodução precisava ser censurada. Isso incluiu, é claro, as práticas eróticas entre pessoas do mesmo sexo. **É sempre bom lembrar que toda proibição tem de se estabelecer e tentar regulamentar aqueles atos que, se liberados, seriam praticados com boa frequência.** Não me é difícil supor que, num contexto não repressivo e livre da interferência de regras, os homens se comportassem como vejo acontecer com os cães: nos machos existe o impulso reprodutor intenso quando diante de uma fêmea no cio. Porém, durante as brincadeiras, machos montam outros machos e também as fêmeas que não estão no cio; elas fazem o mesmo entre si e com os machos. Tudo leva a crer que, mesmo nos animais, existe uma prática sexual instintiva e fundada no objetivo reprodutor e outra de caráter mais

Sexualidade sem fronteiras
Flávio Gikovate

lúdico, voltado para a brincadeira e o prazer. É evidente, também, que as manifestações da sexualidade infantil têm caráter exclusivamente lúdico, assim como as manifestações autoeróticas relacionadas com a vaidade (essas ao longo de toda a vida).

sete

As crianças da minha geração (e as um pouco mais novas) cresceram num contexto social governado por crenças similares às que descrevi. Muitas ainda estão em vigor em certos meios sociais. Outras estão em processo de dissolução, mas ainda deixam resíduos no comportamento de muitas famílias. É difícil descrever o contexto cultural da atualidade justamente porque ele se tornou deveras heterogêneo: há desde ambientes mais repressivos do que aqueles que descrevi até os que são extremamente permissivos; porém, a regra é que muitos dos dogmas antigos ainda ocupam espaço na mente da maioria das famílias, influenciando o modo de ser dos seus filhos. **Os meninos cresciam muito mais pressionados do que as meninas. Tinham de se aproximar ao máximo do padrão exigido pelo que se considerava "virilidade".** Na prática, deveriam ser guerreiros, agressivos, bons de briga, daqueles que não levam desaforo para casa. Precisavam ser destemidos. **Mais que tudo, tinham de ser respeitados por seus colegas, integrados e fazendo parte do grupo dos "machos".** Os mais delicados, os que não estivessem de acordo com essas normas, os que não gostassem das práticas típicas dos meninos eram objeto de ironias, maldades de todo tipo e não raramente tratados com termos que denunciavam sua pouca masculinidade. **Os que não se defendessem em uma briga, os que não fossem competentes para bater de volta (e, por vezes, com mais vigor) eram os covardes, os "maricas", aqueles que quando adultos não seriam "machões".** Eram alvo de humilhação continuada. Chegavam em casa chorando por ter apanhado. E seus pais, o que faziam? Mandavam que reagissem à violência na mesma moeda, exatamente aquilo que eram incapazes de fazer. Isso, é claro, piorava ainda mais a autoestima da criança, agora desprestigiada também no seio familiar.

Os meninos mais delicados preocupavam sobremaneira seus pais. Muitos dos que não se mostravam competentes para as brigas típicas dos moleques foram estimulados a fazer aulas de boxe ou judô, nas quais obviamente se sentiam desconfortáveis. Tinham de aprender a agir como a média dos meninos a qualquer custo; esse era o desejo da família, pressionando-os para que se adaptassem aos padrões para os quais não tinham a menor aptidão. **Meninos mais delicados, mais medrosos, menos agressivos e incompetentes para angariar o respeito de seus colegas, mais voltados para atividades culturais (estudo, leituras, filmes etc.) cresciam humilhados (inclusive por seus familiares) e com forte insegurança acerca de sua virilidade.**

Alguns meninos já haviam entrado em conflito com os padrões culturais que definiam o gênero masculino. Por

Sexualidade sem fronteiras
Flávio Gikovate

volta dos 2 anos de idade, as crianças percebem as diferenças entre os sexos — e acredito que essa seja uma descoberta chocante e inesperada. Os mais argutos percebem ainda que a cada gênero correspondem papéis distintos durante a infância e também aqueles que serão desempenhados ao longo da vida adulta, principalmente na vida doméstica (à qual são as mulheres que mais se dedicam, enquanto os homens são mais acomodados). Alguns meninos poderão vivenciar forte conflito interno (em seus *softwares* recém-adquiridos). **Percebem-se como membros do sexo masculino, mas identificam-se mais com sua mãe (ou irmãs), ou seja, com o gênero feminino. Não é raro que a figura paterna seja mais agressiva e rude, fato que também dificulta a identificação da criança mais sofisticada com esse tipo de personagem. A criança cresce com a ideia de que tem um corpo masculino e uma alma feminina.**

Os meninos com menor identificação com os papéis característicos da virilidade são os que mais sofrem ao longo da infância e no início da puberdade. Se os menos agressivos e incompetentes para as lutas e os esportes mais violentos já são vítimas de inúmeras formas de humilhação, que pensar daqueles que já crescem preferindo se comportar de acordo com os modos mais tipicamente femininos e mais interessados em ficar perto das meninas. A hostilidade contra eles será, obviamente, maior. Crescerão ainda mais ressentidos, rancorosos, retraídos; sentem-se — e de fato são — pouquíssimo prestigiados. É triste supor que essa conduta ingênua, o de uma crian-

Sexualidade sem fronteiras
Flávio Gikovate

ça muito pequena que se identifica mais com o modo de ser de sua mãe, possa ser um fator que determinará posturas radicais ao longo de toda sua vida adulta. **A psicologia, essa ciência que tanto impacto provocou ao longo do século XX, nos mostrou fatos muito relevantes; entre eles, cabe registrar até que ponto as vivências dos primeiros anos de vida podem ser fundamentais para o que seremos no futuro.**

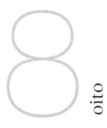

oito

Os meninos que não têm problemas para se adaptar aos padrões exigidos pela cultura também vivem em estado permanente de alerta. Sim, porque têm de se provar "machos" o tempo todo, têm de estar à altura da posição que já conquistaram perante seu grupo de referência. Não podem fugir de brigas — nem mesmo quando os oponentes são muito maiores e mais fortes. Não podem se deixar tocar por outros meninos com objetivos eróticos. Isso é curioso, pois podem tomar a iniciativa de tocar, já que isso é indício de atividade, enquanto se deixar tocar significaria passividade, postura feminina. Até recentemente os meninos trocavam carícias eróticas entre si típicas de um jogo chamado de "troca-troca", o que na prática implicava tentativas fracassadas (por falta de ereção, a não ser quando um dos parceiros já era púbere) de recíproca penetração anal. O mais forte era o que agia primeiro e depois cedia o lugar ativo ao mais fraco, o que definia uma hierarquia um tanto ridícula.

Cabe fazer um registro rápido do abuso sexual a que um bom número de crianças é submetido. Na grande maioria dos casos, os atos chamados de pedofilia não

Sexualidade sem fronteiras
Flávio Gikovate

envolvem violência ou estupro. Correspondem à aproximação "carinhosa" de algum adulto (quase sempre do sexo masculino) que pretende se achegar à criança (mais frequentemente meninas) e nela se esfregar até atingir o orgasmo. Se num primeiro momento as crianças se surpreendem e não sabem muito bem o que está acontecendo, depois percebem que se trata de algo parecido com o que pode acontecer entre duas crianças. Como a abordagem quase sempre é sutil e discreta, a grande maioria delas acaba sentindo a aproximação como agradável, o que a torna cúmplice e sem muita condição de se queixar aos pais. Quando o menino é o objeto do abuso (e principalmente quando sente prazer nessa troca de carícias), forma-se dentro dele a ideia de que ele não é um verdadeiro macho. Não se deve subestimar a frequência desses acontecimentos, que alguns autores consideram fazer parte das vivências de cerca de 25% de todas as crianças, ficando boa parte delas marcada de alguma forma por esse acontecimento que, mesmo quando sutil, pode ser altamente traumático para os mais sensíveis.[2]

Não sei afirmar se ainda existe a tradicional troca de carícias entre crianças, já que nunca mais ouvi falar de meninos e meninas de 7-8 anos de idade brincando "de médico" ou de "papai-mamãe". Creio que o fácil aces-

---

[2] O que ainda me parece absolutamente inexplicável é a existência de adultos que sintam tão forte desejo por corpos infantis. Que mecanismos geram isso? Qual é a graça especial de tentar interagir com seres que mal sabem o que está lhes acontecendo?

Sexualidade sem fronteiras
Flávio Gikovate

so ao conhecimento acerca do sexo que as crianças de hoje têm possa ter subtraído muito da graça dessas práticas, pois todas elas constituíam uma tentativa de imitar o que se supunha ser a vida erótica dos adultos (se antes elas só ouviam falar do que acontecia entre os adultos, por meio daqueles que puderam presenciar alguma intimidade entre seus pais, hoje elas têm fontes diretas de informação pelos meios de comunicação; além disso, estão bem mais entretidas por inúmeros jogos eletrônicos interessantes). **De todo modo, o pavor da homossexualidade masculina estava presente na cabeça não só dos pais como das crianças, mesmo daquelas que não tinham qualquer razão para isso. Era a época em que o pai não beijava seu filho varão por medo de estar transmitindo a ele estímulos homoeróticos. Esses tempos não estão distantes: isso começou a se desfazer apenas a partir dos anos 1970!**

 nove

Os meninos sempre acharam menos graça do que as meninas na estimulação direta de suas zonas erógenas, o que constitui a masturbação. A região anal nunca era incluída, pois se tratava — e até hoje se trata — de área altamente proibida por ser indicativa da existência de uma inclinação homossexual (o que, diga-se de passagem, não é verdade: todos os homens são eroticamente excitáveis pelo toque do orifício externo do ânus e, quando adultos, também por intermédio da massagem prostática). **A observação direta indica que a manipulação do clitóris sempre apareceu como muito interessante para as meninas, e algumas se dedicavam demasiadamente a essa prática, a ponto de perder parte da concentração necessária a outras atividades.** Não deixa de ser curioso observar que, durante os anos da puberdade e da adolescência, isso se inverte radicalmente: 100% dos moços passam a se masturbar de forma regular (quando não compulsivamente), enquanto metade das meninas ou mais abandona essa prática.

Até poucas décadas atrás os universos de interesses masculino e feminino eram extremamente distantes durante a infância, mantendo-se assim ao longo da vida adulta. Quando os casais se reuniam, as mulheres iam para um lado e os homens para outro canto: as conversas de uns e outros eram muito diferentes e não havia quase interesses em comum. As meninas, ao perceberem isso, se posicionavam de dois modos: aceitando as normas e os padrões próprios do gênero correspondente ao seu sexo ou se rebelando por achar que o universo masculino era constituído de ingredientes mais interessantes (e também tidos como mais importantes). **Assim, brincar de "casinha" representava menos do que jogar futebol; brincar com as bonecas que representavam seus futuros bebês era menos importante que colecionar figurinhas de jogadores e, por meio de jogos e disputas, conseguir completar o álbum antes dos outros.**[3] **As meninas que se rebelavam contra práticas e brincadeiras tipicamente femininas eram ligeiramente censuradas, mas isso não representava, ao menos aos olhos dos adultos, uma ameaça para o futuro sexual delas.** A bem da verdade, muitas cresceram com certa inveja da condição masculina e, na adolescência, tornaram-se sedutoras, demonstrando uma feminilidade inesperada para aquelas crianças que adoravam subir em árvores e brincar com os meninos.

As meninas que mais se identificavam com as brincadeiras e os papéis sociais masculinos desenvolviam certa

---

3 Não é desprezível o fato recente de que as bonecas tipo "bebê" tenham sido substituídas por "Barbies", nas quais as manifestações maternais se transformaram, desde bem cedo, em aprendizado de como se tornar uma mulher atraente e sedutora!

Sexualidade sem fronteiras
Flávio Gikovate

forma displicente de se comportar, dando mais trabalho às mães nas ocasiões em que deveriam se vestir de um jeito mais dengoso (coisa que as mais femininas faziam com enorme satisfação). Porém, pouquíssimas tinham uma relação particularmente tumultuada e revoltada com a mãe ou as irmãs. Não queriam ser como elas, mas não sentiam raiva delas — nem mesmo naqueles casos em que a figura materna era mais agressiva e hostil. A revolta por fazer parte do gênero feminino não determinava grande hostilidade das meninas entre si, posto que as mais conciliadas com sua condição aceitavam com serenidade o fato de existir certo número delas que teria preferido nascer meninos. **Em outras palavras, as meninas inconformadas com sua condição (as que lidavam mal com esse tipo de contrariedade e não preenchiam os papéis típicos do seu gênero) não vivenciaram o clima hostil e rico em humilhações similar ao dos meninos que não se enquadravam adequadamente no papel masculino. O universo feminino, mesmo na infância, sempre foi mais permissivo e tolerante com as diferenças no modo de ser. Isso está em clara sintonia com o que observaremos depois, ao longo da vida adulta.**

Umas poucas meninas, quase sempre portadoras de grande revolta contra a figura materna ou contra a própria condição feminina, cresciam dando sinais, desde cedo, de que não teriam nenhum interesse em trocar carícias eróticas com personagens do sexo masculino. Registro mais uma vez: até há pouco tempo os universos masculino e feminino eram muito diferentes e poucos

Sexualidade sem fronteiras
Flávio Gikovate

eram os pontos de convergência. **Meninos e meninas não eram amigos. Menino que gostasse de conversar com menina era malvisto, tido como "maricas". As meninas que fizessem parte do grupo dos meninos ("clube do bolinha") não eram tão malvistas e só algumas delas tinham ressentimentos incomuns contra sua condição de modo que não conseguissem conviver bem com seus pares.**

É nesse clima que se chega à puberdade: meninos razoavelmente bem-sucedidos nos desafios da infância, meninos inseguros e desconfiados de sua virilidade, meninos que definitivamente não gostam da ideia de ser meninos e têm radical desconforto em ser parte desse gênero (uma minoria); meninas que estão contentes por ter nascido meninas e felizes com o futuro que o destino lhes reserva, meninas que aceitam mal o papel feminino, preferindo as atividades masculinas, mas portadoras de uma revolta não radical, meninas que são inflexíveis ao não aceitar sua condição e não se conformam de ter nascido como membros do seu sexo (uma minoria).

Além dessas propriedades que, em parte, derivam de suas características inatas e também de como decodificaram o que lhes aconteceu ao longo da infância, cada adolescente também é portador das peculiaridades que lhe são próprias: variado grau de inteligência, melhor ou pior aparência física, predisposição para engordar (mais no abdome ou nos quadris) ou para ser bem magro; os baixos e os mais altos, os mais ou menos agressivos e os medrosos, os portadores de dotes artísticos ou com pendor para esportes; os tímidos e os extrovertidos, os que

Sexualidade sem fronteiras
Flávio Gikovate

têm um impulso sexual muito intenso e aqueles que nem tanto, e assim por diante. São tantas as variáveis que qualquer generalização estará sujeita a um enorme número de exceções. Não pretendo escapar dessa regra geral, de modo que minhas considerações, assim como quaisquer outras, jamais serão aplicáveis a todos os seres existentes. Não é essa a pretensão: sou ciente de nossa solidão radical (Ortega y Gasset), de que somos únicos e de que não há nada na biologia, na medicina e principalmente na psicologia que não esteja sujeito a um bom número de situações e pessoas que não se encaixam numa descrição que forçosamente precisa ser mais genérica. Minha intenção é a de englobar o máximo possível de circunstâncias e possibilidades, a fim de contribuir para o entendimento de boa parte dos fatos que nos cercam. O objetivo principal é sempre o mesmo: tentar desenvolver um ponto de vista que nos ajude a avançar na direção da melhora da qualidade de vida, da harmonia e do respeito entre os humanos.

O fato marcante da puberdade é o surgimento das manifestações sexuais adultas: os caracteres sexuais secundários tanto masculinos como femininos, entre eles o surgimento do forte desejo visual masculino, e também as expressões claras e importantíssimas da vaidade, esse prazer erótico que está presente de forma sutil e discreta nos últimos anos da infância. Vaidade tem que ver com autoerotismo, com uma sensação íntima de excitação sexual que se manifesta cada vez que chamamos a atenção dos que nos cercam, atraímos

Sexualidade sem fronteiras
Flávio Gikovate

olhares de admiração e sobretudo de desejo. Aqui estou usando o termo "desejo" para me referir especificamente ao desejo visual, responsável pelo impulso que faz que um indivíduo tente se aproximar do seu objeto de desejo erótico. As outras manifestações sexuais determinam, segundo meu modo de pensar, excitação (sensação íntima de inquietação agradável que não exige uma atitude concreta). A vaidade depende de a pessoa ser olhada pelos que a cercam e provoca excitação naquele que é seu objeto. A vaidade excita aquele que se sente desejado.

Esse é o primeiro grande choque peculiar dessa fase, dramático no passado e bastante atenuado de duas a três décadas para cá: os homens são portadores de um forte desejo visual inexistente na grande maioria das mulheres (sempre respeitando o fato de que parecem existir algumas exceções). Tratou-se de um enorme golpe para a autoestima dos rapazes das gerações passadas, uma vez que eles haviam crescido com a ideia de serem o "sexo forte", os privilegiados. **Segundo o modo de entender dos moços, desejar sem ser desejado corresponde a uma enorme desvantagem. E deve ser mesmo. Digo isso porque as moças que, durante a infância, tanto preferiam ter nascido meninos depois da puberdade se conciliam muito bem com sua condição e até se valem do eventual poder sensual de que se percebem portadoras com o intuito de se sobrepor aos rapazes.** Surgem, com a vaidade adulta e o desejo visual, as mostras mais claras de humilhação: aquele que deseja, tenta se aproxi-

Sexualidade sem fronteiras
Flávio Gikovate

mar do objeto do desejo e se percebe rejeitado experimenta uma sensação terrível, inversa à que corresponde ao prazer erótico da vaidade. Trata-se de uma dor muito forte, que complica o psiquismo de inúmeros rapazes ao longo dos primeiros anos da vida adulta. Há mais de 30 anos venho correlacionando essa frustração masculina própria do início da adolescência com as manifestações típicas do machismo, entre elas o enorme empenho de tantos homens — inclusive alguns autores ilustres do passado — de rebaixar as mulheres e tentar provar, na medida do possível, sua inferioridade.

Não é desprezível o fato de que essa frustração masculina se atenuou muito ao longo dos últimos 20 anos, graças ao surgimento do "ficar": intimidade física limitada entre um rapaz e uma moça da mesma faixa etária e mesma condição social (fato inimaginável até então). Tampouco desconsidero os problemas que muitas moças vivenciaram — e vivenciam — por se sentir menos atraentes e menos bem-sucedidas do que suas colegas, irmãs e primas nesse jogo erótico. Penso que o ficar também beneficiou as moças porque elas têm tido a oportunidade de conhecer melhor o próprio corpo e ganhar mais controle sobre sua sexualidade (o que neutraliza um medo que lhes era incutido no passado, antes do advento da pílula anticoncepcional, de que deveriam se cuidar muito bem a fim de não se "perderem"). **O ficar marca o início de uma enorme aproximação entre os gêneros, até então separados, entre outros fatos, por vivências eróticas completamente diferentes:**

Sexualidade sem fronteiras
Flávio Gikovate

as meninas permaneciam castas até o primeiro namorado, ao passo que os rapazes se iniciavam em prostíbulos — espécie de exame de admissão ao mundo dos machos adultos, sempre sob a supervisão de alguém mais velho e não raramente seu pai.

O fim das fronteiras rígidas entre os gêneros vem se manifestando em todas as esferas da vida familiar e social. Porém, isso ainda é incipiente e muitos são os contextos em que há fortes ranços do tradicional.

É sempre bom verificar que estão caindo muitas das barreiras que separavam os gêneros, de modo que podemos pensar, num futuro próximo, em um mundo unissex tanto no sentido dos direitos como dos deveres. Um universo desse tipo criará condições bem mais favoráveis para que homens e mulheres sejam amigos, contribuindo para o aumento das chances de encontros amorosos de melhor qualidade, já que serão baseados em afinidades reais. Porém, não devemos subestimar as dificuldades que persistem e as barreiras por ser derrubadas: as moças ainda temem ter intimidade sexual logo que conhecem um rapaz que lhes parece muito interessante porque acham que serão desvalorizadas (e talvez o sejam); os homens continuam tendo dificuldade de se relacionar com mulheres mais bem-sucedidas profissionalmente do que eles, assim como observo que a maioria delas prefere os de melhor situação que elas; boa parte dos homens não acha que deve participar ativamente das tarefas domésticas nem cuidar dos filhos; e assim por diante.

11 onze

Do ponto de vista feminino, a puberdade e a adolescência correspondem a um período de importante conciliação com as peculiaridades do seu gênero. **Isso acontece justamente em decorrência da descoberta de que ser objeto do desejo masculino corresponde a um poder que elas não pensavam ter** (talvez hoje as meninas de 8-9 anos já tenham alguma ciência disso, tanto que adoram se comportar como adolescentes e torcem para que o tempo passe depressa). Para muitas das mais imaturas que, durante a infância, não gostavam de ser meninas, parece ter chegado a hora da vingança: usam o poder sensual ao extremo com o intuito de provocar os moços e depois não permitir sua aproximação, provocar o desejo deles para depois frustrá-los. Muitas dessas moças, mesmo depois, quando namoradas e esposas, são as que gostam de regular a entrega sexual, dizendo muito mais "não" do que "sim" ao parceiro (o que para os homens corresponde a uma enorme humilhação).

As moças mais maduras são as que lidam melhor com frustrações e contrariedades, de modo que é provável que, já durante a infância, pouco tenham se insurgido contra sua condição de suposta inferioridade. Depois de adultas,

Sexualidade sem fronteiras
Flávio Gikovate

tendem a ser discretas porque não gostam de provocar o desejo com o simples objetivo de magoar os rapazes. Contudo, também têm sua vaidade e gostam de ser vistas como atraentes e interessantes por eles. Na intimidade, são mais solidárias e evitam se recusar sexualmente para não ofender os parceiros queridos.

Não se pode subestimar o valor da aparência física feminina num contexto realista em que o desejo visual masculino é muito intenso. As moças mais belas tendem a se sentir mais poderosas e privilegiadas, o que é verdade. O privilégio é, como sempre, faca de dois gumes: muitas se tornam indolentes e não se empenham muito na evolução intelectual e profissional; como a expectativa de vida é, hoje, bem maior, podem passar apuros depois dos 50 anos de idade, quando a beleza se esvai. Muitos homens, especialmente os mais velhos, ficam fascinados com a beleza e a juventude de algumas mulheres, o que reforça ainda mais o jogo bem conhecido: a troca entre o poder econômico e social dos homens pela beleza e pela sensualidade das moças. Esse é o mundo clássico, tradicional; creio que os acontecimentos mais recentes, desencadeados pelo ficar, pela busca de independência econômica das mulheres e pela maior determinação delas de buscar sustento próprio e prestígio social, vêm criando uma nova tendência, que levará a parcerias escolhidas por motivos interessantes.

O modo de vida de antigamente — quando o poder econômico masculino era, ao menos em parte, neutralizado pelo poder sensual feminino — convive com o dos novos tempos, nos quais rapazes e moças buscam um estilo de ser e de viver mais unissex. Os rapazes têm se preocupado mais com a aparência física e bem menos com a busca desenfreada de sucesso econômico (estão, ao que parece, até mesmo um tanto negligentes quanto a esse aspecto). As moças continuam muito preocupadas com a aparência, mas também estão em busca de sucesso profissional. O momento é, nesse sentido, favorável às moças. Isso porque elas estão evoluindo bem mais depressa que os rapazes. Por outro lado, isso acabará por determinar um importante desequilíbrio demográfico, uma vez que o número de mulheres nas universidades é bastante superior ao dos homens: já há sinais de crescimento do número de moças bacanas que se sentem tristes por não encontrar parceiros à sua altura e dispostos a relacionamentos estáveis e sérios.

Uma importante fonte de tensão entre as mulheres é a beleza feminina. Em primeiro lugar, surgem inveja e desconforto naquelas que não foram tão agraciadas

Sexualidade sem fronteiras

Flávio Gikovate

pela natureza; esse desequilíbrio é inevitável e corresponde a uma desigualdade muito relevante, sobre a qual pouco ou nada pode ser feito a não ser lamentar a dificuldade — que sempre existirá — de construir sociedades mais justas com base em desigualdades inatas geradoras de severas diferenças. Em segundo lugar, os próprios homens ficam extremamente incomodados pelo fato de se sentir tão fortemente atraídos pelas mais belas e não ser correspondidos. **Desejar sem ser desejado cria uma hostilidade invejosa primordial nos homens: agrava uma tendência existente desde a infância (e talvez com grande base biológica) para que o desejo sexual e a agressividade se aliem de maneira muito intensa e quase sempre difícil de ser desfeita.**

As ligações entre sexo e agressividade talvez remontem às nossas origens genéticas: é possível supor que na selva primitiva os machos mais ousados e violentos tenham sido os que mais copularam, transmitindo mais facilmente seus genes à geração seguinte. Machos violentos são, até hoje, tidos como mais viris. Quando a criança assiste a uma cena de sexo entre os pais ou em filmes na internet, tem a impressão de observar uma luta, e não a uma troca terna de agrados. Adultos em geral se excitam mais quando o clima erótico segue a direção da vulgaridade com pitadas de agressividade; não são raros os casos em que os casais aprendem a quebrar o clima romântico e de ternura na hora do sexo com o uso de palavras grosseiras, roupas íntimas provocantes etc. Os próprios palavrões, como tenho comen-

Sexualidade sem fronteiras
Flávio Gikovate

tado repetidas vezes, se valem de termos eróticos para expressar enorme violência verbal. **Mais uma vez parece claro que sexo e amor nem sempre seguem pela mesma rota (e que é bastante forte o compromisso entre o sexo e a agressividade).**

13
treze

A aliança entre sexo e agressividade é ainda mais complexa e de consequências talvez bem negativas, pois, além dessas constatações genéricas, podem existir circunstâncias particulares que derivam de humilhações, inveja e rejeições de todo tipo. Ao longo dos próximos parágrafos vamo-nos ater a elas, ainda que de forma rápida, pois essas reflexões constituem parte essencial do meu livro *Sexo*. Já me referi à inveja das meninas mais imaturas em relação aos meninos ("inveja do pênis", segundo a terminologia psicanalítica) e como isso, na adolescência, se transforma em uso agressivo e maldoso da sensualidade. Citei que boa parte das moças mais feias também se sente incomodada com o sucesso das mais belas e as hostilizam bastante. Os desdobramentos dessas sensações negativas variam de pessoa para pessoa e podem interferir muito no que cada um fará de sua vida em função dessa variável.

Não é difícil imaginar que os meninos mais delicados possam ter crescido com raiva dos colegas que tanto os humilharam. Não é incomum que sintam o mesmo pela figura daqueles pais que têm postura igualmente agressiva (ou que não tenham sido capazes de compreender

Sexualidade sem fronteiras
Flávio Gikovate

suas dificuldades com os outros meninos). Com a chegada do desejo visual adulto, muitos dos moços mais viris sentem raiva das moças que eles desejam intensamente, o que provoca óbvia e explícita associação entre o desejo e a raiva, associação essa expressa nas mais grosseiras manifestações do machismo. Não se pode deixar de antever problemas para relacionamentos fundados na presença de forte hostilidade associada ao desejo sexual. Temos duas possibilidades: o casal se dará bem e o desejo diminuirá (como é o caso da amizade sincera entre um homem e uma mulher); a vida sexual será boa mas o casal brigará por todo e qualquer motivo, quase sempre como puro pretexto para a expressão da hostilidade invejosa masculina — ou feminina, no caso das moças mais imaturas que, ainda hoje, sentem inveja da condição masculina.

Para os rapazes, a aparência física também é um problema, pois a grande maioria deles acaba achando que não é desejada (e bem recebida) pelas moças por força de alguma limitação física: por serem baixos, narigudos, gordos, orelhudos — isso afora as aflições, hoje menores mas ainda presentes, relativas às dimensões de seu pênis, assim como a enorme preocupação sobre o desempenho adequado do papel viril nas primeiras relações sexuais. Tudo isso interfere bastante na autoestima deles. **São pouquíssimos os que estão plenamente felizes com todos os detalhes de sua aparência e seguros acerca de sua posição perante — e por comparação com — os outros rapazes e também em relação às moças. Aliás,**

Sexualidade sem fronteiras
Flávio Gikovate

o mesmo acontece com as moças que, mesmo sendo lindas, sempre acham algum detalhe em sua aparência para se atormentar.

Os rapazes mais bonitos talvez sejam os que se ressentem mais pelo fato de não ser desejados do modo como desejam: afinal, não têm os argumentos entristecedores, mas também apaziguantes, dos que se veem fisicamente limitados. Ao mesmo tempo, podem perceber-se objeto do desejo visual de outros homens, o que pode ser relevante para suas vivências futuras.

14 catorze

Na adolescência, os sentimentos de inferioridade aparecem em praticamente todos os rapazes e moças. O período é ansiado pelas crianças de hoje, pois parece que vão começar a participar de uma grande festa. Porém, a realidade é bem diversa: elas são apresentadas ao mundo da vaidade adulta e sofrem humilhações por não serem portadoras de todas as propriedades valorizadas pela cultura em que vivem (salvo raríssimas exceções, privilegiadas ao extremo). Aprendem que o mundo dos adultos é competitivo e que a inveja é o sentimento predominante nas relações humanas. Aprendem que são poucos os ganhadores e que a grande maioria é parte da plateia para esses privilegiados. Conservam aquele sorriso fácil e o otimismo um tanto infantil diante da vida, mas lentamente vão perdendo aquela alegria própria da ingenuidade. Claro que as crianças não são tão ingênuas como se pensava, em especial no que diz respeito ao sexo. Porém, não imaginavam que a vida adulta fosse tão difícil, tão cheia de problemas, quase todos eles derivados de desprestígios e humilhações que ofendem a vaidade e podem causar um enorme estrago à autoestima.

15 quinze

Além das propriedades físicas e daquelas mais diretamente ligadas à sexualidade, precisamos considerar os aspectos relacionados tanto com as variações de evolução emocional e moral dos rapazes e moças quanto com a presença ou a ausência de outras competências sociais que podem valorizá-los muito (extroversão, senso de humor, aptidão especial para os esportes etc.) ou desvalorizá-los (introversão, timidez, ser membro de classe social inferior, ter perdido anos de estudo e estar convivendo com pessoas de faixa etária diferente, ter gostos intelectuais mais extravagantes e solitários etc.).

Por inúmeras razões, metade dos adultos permanece intolerante a frustrações e contrariedades. Aceitam mal os fatos como eles são e buscam fórmulas para se livrar do sofrimento, ainda que as rotas encontradas, por vezes, gerem novos problemas. Procuram atalhos que nem sempre estão tão livres das dores que pretendem evitar. Essas pessoas, que tendem a ser mais agressivas e "estourar" com facilidade, extrovertidas e sociáveis (em parte até por não conseguirem ficar razoavelmente bem consigo mesmas), são as mais egoístas, menos empáticas, mais preocupadas com o próprio bem-estar e menos

Sexualidade sem fronteiras
Flávio Gikovate

atentas às dores que causam em terceiros. A outra metade é constituída por aqueles que conseguem desenvolver uma boa tolerância a frustrações e suportam melhor a realidade, na qual os fatos nem sempre correspondem a seus anseios. Tendem a ser mais dóceis, menos agressivos e mais discretos, dando preferência a poucos mas fortes vínculos. Mais generosos e empáticos, eles se preocupam com o bem-estar dos que os cercam. A maior ou menor tolerância a frustrações determinará a maior ou menor capacidade de aceitar os fatos e as dores que se sucedem ao longo da vida.

Quando me refiro a egoísmo e generosidade, sempre penso na evolução emocional e moral como paralelas. Penso também (como já descrevi em detalhe em *O mal, o bem e mais além*) que nenhum desses dois modos usuais de se comportar corresponde ao que considero plena evolução: os egoístas lidam mal com frustrações, enquanto os generosos sentem culpas indevidas que os limitam muito mais do que seria aceitável. Nenhum dos dois tipos humanos é justo, ou seja, cuida do que é seu da mesma maneira que cuida do que é dos outros; nenhum dos dois dá e recebe na mesma medida, com um pendendo para um lado e o outro correspondendo ao seu oposto e complemento. Ambos se tornam incompetentes, quando adultos, para agir segundo o que seja uma verdadeira deliberação racional: são escravos de mecanismos irracionais (a intolerância ou a culpa), que governam de forma regular todas as suas ações. Por terem padrões de comportamento estáveis e previ-

Sexualidade sem fronteiras
Flávio Gikovate

síveis, não conseguem agir livremente a cada nova circunstância. O modo de ser de ambos acabará interferindo no que lhes acontecer no plano tanto amoroso quanto sexual. Assim, os homens mais intolerantes a frustrações e contrariedades terão muita dificuldade de aceitar as diferenças na natureza do desejo visual (que favorecem as mulheres) e apresentarão condutas típicas do machismo; as mulheres mais imaturas terão dificuldade de aceitar bem o fato de pertencerem ao gênero que, ao menos durante a infância, lhes pareceu o menos favorecido e desenvolverão forte tendência a usar o poder sensual recém-adquirido como arma contra os homens.

dezesseis

A competência para se colocar bem e se integrar com facilidade nos grupos de convívio social obrigatório (escolas, clubes esportivos, ambientes que se formam nos locais de férias, por exemplo) é uma variável muito importante durante toda a vida adulta das pessoas. Porém, sua relevância é ainda maior na puberdade e na adolescência. Os rapazes e as moças tidos como os mais populares e mais bem-aceitos pela maior parte dos integrantes do grupo, especialmente aqueles que exercem certo tipo de liderança, são mais alegres e bem-sucedidos ao longo desses anos decisivos para o bom encaminhamento da vida afetiva e sexual. Alegria, extroversão, gosto por conversas um tanto superficiais e capacidade para fazer os interlocutores rirem são propriedades extremamente valorizadas pelos adolescentes. Também fazem sucesso aqueles que se destacam nas práticas esportivas, os que sugerem programas interessantes (que muitas vezes são aqueles cujas famílias têm casa em praias bem frequentadas ou sítios agradáveis e em condições de acomodar um bom número de convidados), assim como os precursores das novidades e dos modismos que tanto seduzem os jovens.

Sexualidade sem fronteiras
Flávio Gikovate

É curioso e triste observar que o sucesso estudantil, a erudição e o conhecimento artístico quase nunca geram entusiasmo e sucesso entre os interlocutores (ao menos durante a adolescência). Ainda que o sucesso acadêmico seja às vezes tratado com desdém (inveja?), a inteligência é propriedade bastante valorizada em especial nos rapazes; os que têm senso de humor são muito benquistos e tidos como particularmente interessantes. Habilidades para a dança e destaque nas "baladas" também fazem muito bem à vaidade de rapazes e moças. Participar das atividades menos nobres também é um fator de socialização importante: os que bebem em excesso e se tornam engraçados por isso encontram um espaço cativo nos seus grupos; os que trazem as drogas ilícitas são, por vezes, prestigiados.

O inverso também é verdadeiro e muito relevante: o destino emocional e sexual de rapazes e moças sofre grande influência do fato de nem sempre serem tão competentes para as práticas sociais exuberantes que, como regra, são um tanto superficiais. Moços e moças tímidos, quer por força de sentimentos de inferioridade de todo tipo, quer por não se sentirem à vontade para abordar pessoas desconhecidas por medo de ser inconvenientes, quer por não gostarem de conversas muito genéricas e bobas, se sentem excluídos e têm seus sentimentos de menos valia ainda mais reforçados. A timidez se manifesta também em virtude de o jovem se achar feio ou sem graça, de modo que não se sente confortável nos ambientes sociais, sempre tendo a impressão de ser

Sexualidade sem fronteiras
Flávio Gikovate

um estorvo. Muitos deles acabam buscando formas de entretenimento mais solitárias, como a leitura ou a música, e aí se distanciam ainda mais dos alegres grupos de jovens que parecem estar levando uma vida bem mais rica e interessante.

Os jovens que se distanciam do padrão usual do grupo são, por vezes, aqueles oriundos de famílias que não fazem parte da mesma classe socioeconômica que seus pares, sendo sempre deveras desagradável se diferenciar muito do grupo de convivência, principalmente se essa diferença for para menos. Vários desses moços, talvez por força de seus ressentimentos, acabam por desenvolver mecanismos defensivos e até mesmo agressivos contra os que os cercam: podem usar a inteligência para desqualificar o modo de ser de seus colegas mais bem-sucedidos socialmente (os "populares"), se vangloriar do conhecimento e do saber que adquirem graças às leituras solitárias e assim por diante. **Vale registrar também que existe um grupo que genuinamente prefere a vida mais reservada e solitária, pessoas que se divertem mais com seus afazeres e interesses pessoais do que com a atividade em grupo. Não deveriam continuar a ser vistos de forma pejorativa. Penso que é essencial acabarmos com a noção de que extroversão implica virtude e maturidade emocional, sendo os mais introvertidos vistos sempre de forma pejorativa, como criaturas problemáticas. Isso não é verdade.**

dezessete

Quando nos atemos a determinada época da história, sempre encontramos, em especial durante a adolescência, jovens de mente mais libertária e outros mais preconceituosos e respeitadores das regras estabelecidas. Existem os que cresceram mais medrosos e os mais ousados. Existem os que têm a mente mais porosa e aberta a novidades, aqueles que criam as novidades (várias delas bem relevantes, como foi o caso do "ficar", vieram da ousadia e da irresponsabilidade dos jovens, peculiaridade registrada com muita propriedade por Winnicott) e os que resistem a elas, buscando refúgio no modo de ser e de pensar de seus pais. Refletir sobre o que acontece na mente dos moços e moças ao longo desses primeiros anos da vida adulta é essencial — e creio que a psicologia tem se dedicado pouco ao tema.

Pensar sobre a adolescência não significa, a meu ver, apenas tentar descrever o que os jovens fazem ou como agem. É preciso tentar penetrar na subjetividade deles, no choque que cada um leva com a chegada do erotismo adulto, nos desdobramentos de como percebem o mundo dos adultos e principalmente em seus fantasmas acerca

Sexualidade sem fronteiras
Flávio Gikovate

de como se portarão diante dos obstáculos que passam a perceber com mais clareza. **Existem os otimistas,** aqueles que acham que para eles tudo dará certo; e os pessimistas, os que já se veem como perdedores e, com facilidade, se refugiam desde cedo no álcool e nas drogas. Muitos continuam a se deixar governar pela ideia infantil de que seus atos nocivos serão logo perdoados. **Outros percebem que agora o "jogo é pra valer"** e que seus atos estão sujeitos a represálias mais severas (uns se acovardam diante disso e outros mantêm a ousadia de antes).

18
dezoito

Se formos olhar apenas do ponto de vista do sexo, encontraremos grande diversidade de estados de alma. É fácil encontrar moças que, de certo modo, já sabiam o que encontrariam com a chegada da adolescência, uma vez que já vinham se preparando para o jogo de sedução. Outras se veem aparvalhadas e perplexas diante das situações eróticas que passam a vivenciar. Algumas se sentem confortáveis ao se perceberem objeto do desejo masculino, enquanto outras ficam desajeitadas e envergonhadas, como se isso já implicasse algum tipo de conduta inadequada. Umas se sentem em condições de participar do jogo erótico de sedução, outras já se consideram perdedoras e tomam atitudes compatíveis com suas convicções (um exemplo: por não crerem ser capazes de seduzir os rapazes, tratam de se tornar amigas deles).

Os rapazes vivem dramas ainda maiores. Não sabem avaliar se são ou não competentes para exercer as funções sexuais adultas. Têm pavor de pensar no que acontecerá caso suas investidas eróticas fracassem. Temem por suas aptidões sexuais de caráter quantitativo (dimensões do pênis, número de vezes que um jovem deve ejacular ao longo de um contato sexual, tempo adequa-

Sexualidade sem fronteiras
Flávio Gikovate

do para que a ejaculação se concretize etc.). Muitos se consideram pouco interessante, e alguns sentem enorme frustração por desejarem moças sem que a recíproca seja verdadeira. **Pouco se conversa — tanto entre eles como com seus pais — sobre dificuldades e inseguranças. A maioria tenta disfarçar seus temores e vive como se estivesse confortável na nova condição.**

O período é de grandes tensões para os rapazes e as moças, e poucos são os que têm serenidade para aguardar os fatos e então se posicionar diante deles. A maioria tenta conjecturar, antever, prever como se comportar em situações constrangedoras. Todos sofrem muito.

19 dezenove

Ao longo da adolescência surgem também os primeiros sinais de encantamento sentimental "adulto". Não raro, rapazes e moças apaixonam-se por criaturas desconhecidas (celebridades de todo tipo) ou por personagens que fazem parte do seu convívio, mas sequer são informados dos seus sentimentos. O objetivo é o de viver o amor em fantasia, com devaneios ligados à ternura, sentimento bem diferente daqueles de natureza erótica. Muitas moças fantasiam situações eróticas com seus "amados", ao passo que a maioria dos rapazes separa bem o erótico do sentimental. Isso, em algum momento futuro, poderá ser problemático para eles, criando dificuldades sexuais justamente com seus parceiros amorosos. **Na mente da maior parte dos rapazes (em especial daqueles pertencentes às gerações passadas), o amor aparece como algo imaculado, enquanto o sexo tem compromisso com a vulgaridade, com a "baixaria" e até com a agressividade. Na mente feminina, a associação entre esses dois impulsos básicos da nossa subjetividade é mais fácil; apesar disso, muitas são aquelas que, na hora da troca de carícias mais ardentes, gostam de se sentir mais vulgares, abusadas, possuídas.**

Sexualidade sem fronteiras
Flávio Gikovate

Nos relacionamentos entre rapazes e moças que se tornam muito amigos raramente surge atração erótica; eles veem as relações de grande intimidade intelectual e de afinidade de gostos e interesses como uma categoria da qual o sexo não participa. Nas relações entre duas amigas, não é raro que aprendam a se conhecer melhor sexualmente por meio da troca de carícias eróticas. Nesse aspecto, as moças sempre foram muito menos preconceituosas do que os rapazes: elas se tocam e não se sentem comprometidas com nenhum tipo de orientação sexual (não se consideram lésbicas por terem sentido prazer trocando carícias eróticas com uma amiga querida); veem tais ocorrências apenas como uma brincadeira, o que é fato. Quando os rapazes, ainda que por acaso, tocam nos colegas e, pior ainda, sentem algum prazer nisso, passam a viver um drama interior complexo e já se sentem estigmatizados: homem que é homem não pode sentir nenhum tipo de prazer no contato físico com outro homem, porque senão vai se considerar homossexual para sempre. Não deixa de ser curiosa e chocante a força de uma crença. O tema retornará mais adiante.

A indústria pornográfica, disseminada em especial pela internet, tem influenciado os jovens (e os adultos, claro). **Aos 16 ou 17 anos de idade praticamente todos já assistiram a pelo menos um filme com cenas de sexo explícito. O conteúdo desses filmes envolve, com frequência, sexo entre três pessoas. Quando são duas mulheres e um homem, elas se tocam e se acariciam livremente. Quando se trata de uma mulher e dois homens, eles**

Sexualidade sem fronteiras
Flávio Gikovate

nunca se tocam: ambos só se relacionam com a mulher. Impossível deixar de registrar como eles transmitem e perpetuam preconceitos acerca da virilidade. É primordial assinalar que os maiores usuários da indústria pornográfica são os homens, justamente em função da facilidade com que se estimulam pela visão.

Agora, tomemos como exemplo a seguinte situação, hoje cada vez mais comum: um rapaz está navegando por sites eróticos e depara com a presença de filmes que envolvem relações com travestis (ou até trocas eróticas entre dois homens). Sua curiosidade faz que se interesse por esses filmes e o mais provável é que sinta algum tipo de excitação sexual em decorrência do que vê. Poderá, só por isso, passar a ter dúvidas acerca de sua virilidade. Isso porque, dentro das normas da cultura, um homem de verdade deveria sentir nojo e não excitação diante de tais cenas. Se as moças, estimuladas pelo crescente número de vídeos eróticos protagonizados só por mulheres, se sentem mais livres para o exercício de trocas eróticas com as amigas e colegas, os homens que acharem excitante o que veem, por exemplo, na intimidade sexual entre um homem e um travesti ficam cada vez mais inseguros e perdidos.

Eu gostaria de enfatizar a relevância do papel da internet para o que estamos aprendendo acerca da sexualidade humana. A masturbação, em todas as idades, tem se tornado cada vez mais frequente e gratificante (em especial para os homens). O sexo a distância com "parceiros" que se exibem um ao outro e se masturbam

Sexualidade sem fronteiras
Flávio Gikovate

vem substituindo os contatos carnais com prostitutas. Tudo isso confirma, a meu ver, o ponto de vista que tenho defendido há anos de que o sexo, mesmo adulto, é fenômeno essencialmente pessoal. Os malefícios da interferência da indústria pornográfica e sua postura preconceituosa também são bastante evidentes (as mulheres voltaram a se preocupar demais com o orgasmo vaginal e a fingi-lo para se portar como as atrizes; os homens voltaram a se ater demais às dimensões do pênis e à duração das relações vaginais, por exemplo). De todo modo, os novos tempos e os avanços tecnológicos sempre abrem espaço para diferentes reflexões.

As moças costumam deixar de ser virgens com o namorado. Antes disso, graças ao "ficar" (e a eventuais trocas eróticas com amigas), aprendem cada vez melhor como sua sexualidade opera e o impacto que a excitação sexual lhes causa. **A iniciação tem seus rituais e as moças gostam de se sentir seguras com aquele parceiro especial, querem se sentir amadas e, com isso, ter a certeza de que não serão abandonadas logo depois da consumação do ato sexual (até hoje tido como sinônimo de penetração vaginal, quando o razoável seria pensar que "ato sexual" é todo contato que envolve excitação).** Até hoje existe certo temor, não de todo injustificado, de que os rapazes tenderão a desconsiderá-las caso sejam moças "fáceis". Em decorrência desse temor, nos relacionamentos seguintes, sempre tardam um pouco para ceder aos anseios sexuais do novo parceiro.

A ausência de prazer vaginal, insistência masculina agora reforçada pela indústria pornográfica, é compensada pelo fingimento. O prazer oriundo da estimulação do clitóris se dá com facilidade e muitas aprendem a manipulá-lo ao mesmo tempo que são penetradas. Percebem que certas posições lhes dão mais prazer, as-

Sexualidade sem fronteiras
Flávio Gikovate

sim como aprendem a se soltar mais, permitindo carícias que, no passado, só prostitutas e mulheres "desqualificadas" autorizavam. Não são raras as que experimentam as trocas eróticas com parceiros masculinos e as consideram menos excitantes do que as vividas com as amigas. Quando é esse o caso, acabam se direcionando para a busca de parcerias sentimentais e eróticas com outras moças, muitas vezes também desiludidas com determinados comportamentos machistas e grosseiros que vivenciaram com namorados.

A iniciação sexual dos rapazes pode acontecer com sua primeira namorada e esse comportamento, por volta dos 16-17 anos de idade, é cada vez mais comum. **Porém, ainda são muitos os que são induzidos por seus parentes mais velhos a se iniciar com prostitutas. A experiência, para eles, é um terror, pois junto com o desejo existe o pavor do fracasso. É como se fosse um exame de admissão, um rito de iniciação propriamente dito. O fracasso não é raro e quando acontece poderá comprometer por muito tempo, se não para toda a vida, a autoconfiança e a segurança sexual do rapaz.** O fracasso em geral acontece porque o rapaz se sentiu forçado a uma iniciação para a qual ainda não estava preparado. Muitos jovens preferem, por anos a fio, a masturbação: uma espécie de treino e aprendizado, em fantasia, do que pretendem praticar na realidade. **Qualquer pressão é fator de tensão e o medo de fracassar costuma ser a principal causa do próprio fracasso.** Aliás, depois de um fracasso real, o maior problema é a superação do medo de

Sexualidade sem fronteiras
Flávio Gikovate

que a experiência vergonhosa e constrangedora se repita e eventualmente se perpetue. As consequências disso são óbvias e o sofrimento íntimo, terrível.

Muitas vezes o fracasso é determinado por circunstâncias menores: o rapaz pode ter ingerido álcool para ter coragem de chegar às "vias de fato" com a mulher; isso, para muitos, inibe o desejo, mas para outros é excitante. O ambiente em que se dá a iniciação pode ser um tanto tenebroso e despertar medos de todo tipo. A atitude, mais dócil ou arrogante, da prostituta talvez seja fator decisivo para o sucesso ou o fracasso da empreitada. Maus odores também costumam inibir o desejo e consequentemente impedir a ereção. **São tantos os fatores casuais que podem determinar o fracasso da iniciação de um rapaz ainda novinho (com seus 13--15 anos de idade) que é incrível como tantos conseguem ser bem-sucedidos.**

Muitos rapazes já vivenciam essa primeira experiência sexual cheios de dúvidas acerca de sua virilidade. Nesse caso, é claro que a chance de fracasso é muito maior. Outros, de tão inseguros, tratam de evitar o episódio de contato com a prostituta a qualquer custo (uns mentem e dizem aos que "cobram" deles que já se iniciaram; outros inventam pretextos ou simplesmente dizem a verdade). Quanto mais evitam o contato com uma mulher, mais se sentem desqualificados como machos e mais são vistos desse modo por seus pares. O círculo vicioso pode se agravar pelo fato de, pela internet, terem se sentido estimulados por filmes eróticos que

Sexualidade sem fronteiras
Flávio Gikovate

mostram a intimidade entre dois homens. Talvez piore também por todos os outros fatores já descritos que excluem do núcleo dos verdadeiros machos muitos dos meninos e rapazes que não preenchem todos os requisitos propostos pela cultura. Isso afora várias outras razões.

21
vinte e um

O que acontece com rapazes e moças durante a adolescência depende também das oportunidades que têm. São tantas as variáveis que é difícil descrever com precisão tudo que eu gostaria de registrar. Pessoas mais bonitas são mais vezes solicitadas e podem se envaidecer com isso a ponto de aceitar certas aproximações que não faziam parte de suas expectativas. Por exemplo, um rapaz muito atraente pode ser seduzido por uma mulher mais velha (e o inverso não só é verdadeiro como mais frequente) e com ela manter um relacionamento longo, no qual aprenda muito e se sinta sexualmente bem mais seguro. Talvez essa parceira (ou parceiro) ache interessante colocar uma terceira pessoa na cama, sendo esta do mesmo sexo que o jovem. Talvez certas intimidades prazerosas determinem alterações no modo de pensar (e mesmo de sentir) as coisas do sexo. Um rapaz pode se relacionar com uma mulher que goste de estimulá-lo na região anal e, caso sinta prazer intenso, ficar em dúvida acerca de sua virilidade. Uma relação a três com outra mulher pode impulsionar a esposa a se desinteressar do sexo com o parceiro masculino.

Sexualidade sem fronteiras
Flávio Gikovate

Todas as vivências sexuais da adolescência passam por processos íntimos de rigorosa autocrítica. Nessa fase da vida, são cada vez mais comuns os abusos do uso de álcool (e também de outras drogas). Pode acontecer de, sob o efeito desses entorpecentes, um jovem se deixar levar por pessoas que ele rejeitaria se estivesse sóbrio. Episódios desse tipo tendem a determinar sensações complexas e difíceis de ser decodificadas. Isso porque todas as experiências eróticas têm potencial estimulante, mesmo aquelas que se considera moralmente inaceitáveis. Surgem conflitos internos complicados, antepondo, de um lado, as lembranças de prazeres vivenciados que teriam sido evitados não fosse pela presença do entorpecente, de outro, o sentimento de culpa tanto por ter feito uso da droga como por ter aceitado participar. Oportunidades assim talvez criem condições para que o indivíduo experimente e aprecie trocas eróticas que ele mesmo considera indevidas (e que poderão colocar em dúvida as convicções acerca de sua sexualidade).

Vou relatar um fato curioso acerca de um acontecimento típico das pessoas da minha geração que pode ilustrar o aspecto da ingenuidade, bem maior do que hoje. Nos anos 1960, começaram a aparecer em algumas avenidas de São Paulo os primeiros travestis que se prostituíam. Eram ruas frequentadas também por moças prostitutas. Os rapazes, como eu, passavam com o carro (quase sempre emprestado pelo pai) em busca de

Sexualidade sem fronteiras
Flávio Gikovate

alguma aventura erótica, o que quase sempre implicava a contratação de alguma prostituta. No escuro das ruas e desinformados daquele fato novo, muitos de nós tomávamos os travestis por mulheres e, com eles, tínhamos intimidade (eles introduziram a prática do sexo oral rápido, atividade à qual as prostitutas rapidamente aderiram). Depois nos envergonhávamos do acontecido, lamentávamos a ingenuidade e, claro, omitíamos esse fato dos colegas (que provavelmente também se esquivavam de narrar um episódio similar). Conheço homens que ficaram marcados por esses acontecimentos: tornaram-se fascinados pelo personagem do travesti, frequentando-os com regularidade, ao mesmo tempo que passaram a cultivar sentimentos de culpa e vergonha por ter desenvolvido involuntariamente esse gosto.

Considero esse aspecto central porque mostra até que ponto o modo como as pessoas lidam com sua sexualidade ao longo da vida pode ser influenciado por circunstâncias aleatórias e oportunidades que surgiram de forma inesperada. **É claríssimo para mim que o encaminhamento da vida emocional, prática e sexual das pessoas é fortemente influenciado pelo que acontece com elas durante a infância e a adolescência. Porém, não cabe desconsiderar a influência marcante de variáveis mínimas. Gêmeos idênticos, submetidos a vivências familiares e sociais muito parecidas, podem, por força de alguma sutileza da vida (ou na forma como decodificaram determinado acontecimento) ter histórias se-**

Sexualidade sem fronteiras
Flávio Gikovate

xuais que seguem direções completamente diversas. Isso define, inclusive, um importante argumento acerca da nossa psicologia: a genética não determina o que somos ou seremos; ela pode influenciar muito, mas é apenas um fator que define tendências.

vinte e dois

Com base no que se pode observar, fica claro que as mulheres são bem menos preconceituosas que os homens a respeito dos contatos físicos com o mesmo sexo. Elas se beijam no rosto ao se cumprimentar, sendo esse gesto um hábito masculino em poucas culturas. Elas andam de mãos dadas com as amigas, fato que também só ocorre entre homens em alguns países. Trocam carícias com as amigas durante a puberdade e a adolescência até com mais facilidade do que com os rapazes; têm um pouco de medo do eventual descontrole e da invasão erótica deles. Sentem-se mais livres para interagir com homens e mulheres de forma igualmente prazerosa no sexo a três. Não interpretam isso como sinal de indefinição de orientação sexual, mesmo quando a satisfação erótica é intensa no trato sensual com outra mulher. Só umas poucas têm pressa em se assumir como homossexual, e quando isso ocorre não raro se dá em virtude de vários outros motivos.

Nesse aspecto, como em tantos outros relativos à vida sexual, as mulheres são bem mais tranquilas do que os homens. Apesar da preocupação maior, nos dias que correm, com competência e habilidade no desempenho

Sexualidade sem fronteiras
Flávio Gikovate

erótico, elas não se sentem tão ameaçadas nem tão dramaticamente julgadas, em sua *performance*, como os homens. Não veem a estes como juízes, aqueles que vão julgá-las como competentes ou não para a prática sexual. Costumam se sentir muito mais avaliadas por sua aparência física, assunto no qual são os homens que levam vantagem. Ao se desnudarem diante de um parceiro novo, a maior preocupação delas é a de saber como vão avaliar suas imperfeições (celulite, acúmulos indevidos de gordura etc.). O desempenho sexual sempre poderá ser forjado e, até há poucos anos, esperava-se que as moças fossem discretas e pouco experientes. **Em síntese, a grande aflição feminina está relacionada com a avaliação que será feita de sua aparência física e não de seu desempenho sexual.**

A condição masculina, por seu lado, é cercada de problemas vivenciados como seriíssimos. Em primeiro lugar, o pavor de ser homossexual, como se isso fosse uma praga, uma doença que poderá tomar conta do rapaz contra sua vontade. Daí a impossibilidade de chegar perto e abraçar muito efusivamente um amigo: e se sentir algum tipo de atração erótica? Pronto, já estará estigmatizado. Terá de ser homossexual para sempre. A única solução, de caráter preventivo, é evitar qualquer tipo de encontro físico com um corpo masculino. É triste percebermos que, ainda hoje, é assim que funciona o psiquismo de um enorme número de rapazes.

Os homens têm pavor de fracassar sexualmente com uma mulher, pois o primeiro pensamento que lhes

Sexualidade sem fronteiras
Flávio Gikovate

vem à mente é: **será que sou homossexual?** Não admitem os outros inúmeros fatores capazes de produzir a inibição sexual masculina (que vão do exagero de admiração por uma mulher, passando pelo excesso de ingestão de álcool ou de outra droga, até o fato de ela ter posturas e atitudes desagradáveis ou mesmo aversivas). Não compreendem que um fracasso casual costuma deixar um rastro de pavor de que isso venha a se repetir e, mais, que o pavor aumenta enormemente a chance de acontecer o que mais se teme. **Os homens vivem atormentados com tudo que diz respeito à sua competência erótica, tanto no aspecto qualitativo como quantitativo:** precisam aceitar todas as propostas de intimidade física, mesmo as que não lhes interessam (e não são raras as mulheres maldosas que, cientes da fraqueza masculina, põem em dúvida sua virilidade pelo fato de se sentir rejeitadas por eles), devem ter não sei quantas relações por semana, têm de estar eretos sempre que a situação exigir etc.

O mais triste de todos esses problemas relacionados com a performance sexual masculina refere-se ao pouco domínio da mente sobre a função sexual: quanto maior for a pressão da razão para que o pênis fique ereto, maior a chance de isso não acontecer. É como se o comando da atividade sexual fosse totalmente autônomo e automático, detestando qualquer tipo de interferência da razão. A atividade sexual masculina é comandada por uma área da nossa subjetividade regida pelo bom senso, o que nem sempre está presente na razão

Sexualidade sem fronteiras
Flávio Gikovate

dos homens quando se trata desse assunto.[4] Em vez de se renderem ao bom senso que emana naturalmente da região da mente que comanda a vida sexual, os homens tentam lutar contra isso. Guerra perdida. A aflição masculina com o desempenho sexual não desaparece nem mesmo com o passar dos anos. Há uma norma social, que deve ser repensada com seriedade, de que quanto mais se pratica o sexo mais feliz e realizado se é. Essa talvez seja mais uma crença, outra dessas ideias prontas que incorporamos, tomamos como referência na vida e a reafirmamos para todos aqueles que convivem conosco. Ninguém pensa que é preciso beber quando não se tem sede. Porém, quando uma pessoa, talvez mais velha e cansada, perde o interesse e o desejo sexuais, isso costuma ser visto como um problema grave. A indústria farmacêutica aprecia esse tipo de insatisfação, pois tem ajudado, e muito, na comercialização de medicamentos que permitem a ereção e a prática sexual mesmo sem desejo intenso. Não considero isso razoável; apenas mais uma manifestação do enorme número de crenças e normas que assolam a questão sexual, em especial a masculina. Sim, porque se uma mulher madura decidir não ter mais vida sexual ninguém a julgará.

---

[4] Em 1989, em meu livro *Homem: o sexo frágil?*, escrevi: "[...] Baseio-me na ideia de que o pênis tem sempre razão! Ele só participa de festas para as quais foi convidado e nas quais se sente absolutamente à vontade. E de nada adianta tentar impor alguma coisa ao pênis, pois ele é anarquista por vocação e se rebela contra qualquer tipo de ordem".

vinte e três

É muito difícil abordar as crenças de forma útil, construtiva e inteligível. Sabemos, por experiência própria, até que ponto somos apegados às nossas convicções, ainda que sobre várias delas quase não tenhamos refletido. Elas são nossa base de sustentação e muitas podem ser classificadas como preconceitos, da forma como o termo é em geral empregado: concepções rígidas e aceitas sem a devida reflexão que defendem dado grupo de pessoas e desqualificam outro por possuir propriedades tidas como inferiores, doentias e/ou um tanto ameaçadoras. Em nome dos preconceitos raciais e religiosos foram executadas algumas das maiores carnificinas da nossa história. Eles criam condições favoráveis para que certo grupo persiga, agrida e até tente eliminar outro. O caráter agressivo do preconceito mostra que as pessoas se sentem ameaçadas pelo modo de ser do outro, por seus pontos de vista políticos ou religiosos ou pelo fato de pertencer a etnias diferentes das suas.

Afora as questões mais claramente relacionadas com atos de violência — que devem ser sempre vistos como sinônimo de vandalismo —, existem as referentes ao desejo

Sexualidade sem fronteiras
Flávio Gikovate

de excluir do convívio as pessoas que pensam, vivem e agem de forma diferente da nossa, muitas vezes obrigando-as a se recolher em guetos. Os judeus, ao longo de séculos, foram objeto desse tipo de estigma, como se o convívio com eles pudesse contaminar ou trazer alguma praga aos cristãos. O mesmo aconteceu com os negros em várias partes do planeta, com os comunistas nos Estados Unidos e acontece, de modo velado ou explícito, com os homossexuais em quase todas as partes do mundo.

Quando comecei a trabalhar os temas da sexualidade, em meados dos anos 1960, ainda eram enormes os preconceitos relacionados até com questões heterossexuais: o sexo devia ser praticado discretamente e apenas no seio das famílias — exceção feita ao que acontecia nos prostíbulos, que, é claro, sempre existiram. Os homens, em especial, dificilmente procuravam ajuda terapêutica para seus problemas emocionais e menos ainda para as dificuldades sexuais. Os assuntos eram pouco explorados (a não ser nos textos psicanalíticos ou no relatório Kinsey, publicado no final dos anos 1930). Em 1966 foi publicado nos Estados Unidos o livro de Masters e Johnson que descrevia, em consequência do acompanhamento monitorado — e ao vivo — das trocas eróticas entre parceiros sexuais, algumas das características da excitação, da ejaculação e dos orgasmos de homens e mulheres. Revolucionária e bem-aceita por lá, a obra encontrou enormes obstáculos entre nós. Sexo era mesmo tabu.

Se as práticas sexuais tidas como mais tradicionais, ou seja, heterossexuais e entre casais casados, eram as-

Sexualidade sem fronteiras
Flávio Gikovate

sunto a ser tratado com reservas, que dizer daquelas mais extravagantes, como seria o caso das relações entre dois homens. Esses se escondiam o quanto podiam, eram estigmatizados por todos os meios possíveis e objeto de escárnio, ridículo e violência moral — quando não física — em praticamente todos os contextos. Os tempos são outros, mas os resíduos desse tipo de abordagem ainda perduram em nossa sociedade e, sem dúvida, ocupam um bom espaço no fundo da alma da maioria de nós (assim como o antissemitismo e as reservas a propósito de casamentos inter-raciais). **As associações médicas subtraíram a homossexualidade do rol das doenças nos anos 1970, ou seja, há cerca de 40 anos. Porém, a grande maioria das famílias ainda educa os filhos varões sob o fantasma da homossexualidade.**

São escassos os estudos a respeito das questões relativas à homossexualidade e a suas diferenças em relação à heterossexualidade. O tema é muito relevante e pede empenho de todos os que se interessam em desfazer os nós que ainda envolvem a sexualidade.

24
vinte e quatro

Meu objetivo a partir daqui é demonstrar que, apesar das aparências, são muito frágeis as fronteiras entre a homossexualidade e a heterossexualidade. Minhas considerações são fruto de décadas de reflexão, prática clínica, do gosto e da vontade que sempre tive de ouvir meus pacientes (além de observar as mudanças que acontecem no ambiente sociocultural em que vivemos) da forma mais despojada e livre de qualquer tipo de concepção preestabelecida. Tenho me esforçado para domar os meus preconceitos e, sem medo, tentar abordar todos os assuntos, inclusive aqueles tidos como "perigosos" e ameaçadores das convicções já tão consolidadas na mente da maior parte das pessoas. A coragem não deriva de outra fonte que não a da certeza de que sou movido por inequívoca honestidade intelectual, qualidade que talvez seja a que mais prezo e preservo em mim.

Sei quanto é difícil tentar refletir de maneira diferente daquela em que fomos formados, uma vez que ela entra em confronto com nossas crenças. Mesmo quando esses pensamentos herdados de gerações anteriores se mostram caducos, temos enorme dificuldade de nos livrar deles. Preconceitos correspondem ao tipo especial

Sexualidade sem fronteiras
Flávio Gikovate

de crença caracterizada, como insisto em repetir agora, pelo desenvolvimento de hostilidade, repugnância e vontade de se manter distante daqueles que pensam diferente ou são distintos de nós. **Crenças são conceitos para uso pessoal. Preconceitos determinam atitudes de natureza hostil e grosseira. Gostaria de convidar mais uma vez aos que me acompanham a deixar de lado, além dos preconceitos — o que é obviamente necessário para uma reflexão como esta —, suas ideias a respeito da questão sexual.**

25
vinte e cinco

O ponto de partida das minhas reflexões mais recentes acerca desse aspecto particular da sexualidade é composto de três dados que, ao longo de décadas de trabalho, sempre me chamaram a atenção. **O primeiro deles é a facilidade com que algumas moças — e também mulheres adultas — sempre se beijaram, andaram de mãos dadas e trocaram carícias de ternura muito próximas daquelas de natureza sexual sem nenhum tipo de constrangimento ou temor de ser vistas como homossexuais. O segundo é relacionado com o fato de que homens viris que se encontram provisoriamente em um contexto no qual não existam mulheres (cadeias, navios, campos de batalha) — e só nesses casos — trocam carícias eróticas com parceiros do mesmo sexo sem se considerar — e sem o temor de ser tidos como — homossexuais. O terceiro remonta à minha adolescência e às experiências que muitos de nós tivemos com os travestis: de olhos fechados e enganados pela circunstância inusitada, não sentimos diferença alguma se o sexo oral é praticado em nós por uma mulher ou por um homem.**

Na infância, época em que não penso na sexualidade como regida pelo desejo e sim pela excitação derivada da

Sexualidade sem fronteiras
Flávio Gikovate

manipulação direta das zonas erógenas ou da troca de carícias nessas mesmas partes do corpo, meninos brincam — ou brincavam — de "troca-troca" com colegas, de "papai-mamãe" com meninas, de "médico" com meninos e meninas indiscriminadamente. Muitas das vítimas de abuso sexual por parte de adultos (ou adolescentes já púberes) não confidenciaram o fato a seus pais porque experimentaram sensações eróticas prazerosas nessas práticas, o que as tornava "cúmplices" de seus agressores.

A leitura dos diálogos de Platão, assim como a "atmosfera" da Grécia do século VI a.C., me influenciou bastante. O contexto envolvia uma clara separação entre o sexo reprodutor e aquele de natureza lúdica. O primeiro era obviamente heterossexual; o segundo envolvia tanto mulheres profissionais (de mais de uma categoria e hierarquizadas) como relações com parceiros do mesmo sexo. Não estavam presentes, ao menos de forma marcante, as proibições sexuais próprias das religiões da linhagem judaico-cristã, segundo a qual o sêmen não pode ser "desperdiçado", de modo que tanto a masturbação como toda troca erótica que não esteja ligada à reprodução aparecem como interditadas.

Estímulos relacionados com a região anal, sobretudo masculina, faziam parte do estilo erótico dos libertinos franceses tão bem descritos pelo Marquês de Sade nos últimos anos do século XVIII. Não eram tidos como indicativos de nenhum tipo de inclinação especialmente referente à homossexualidade. Aliás, esse termo surgiu

Sexualidade sem fronteiras
Flávio Gikovate

na literatura médica somente em meados do século XIX, e na descrição das fases evolutivas da sexualidade masculina Freud dá boa ênfase à fase anal sem relacioná-la particular ou exclusivamente com a homossexualidade.

vinte e seis

Os historiadores e os conhecedores de outras culturas certamente poderiam acrescentar inúmeros dados sobre posturas diante das questões eróticas bem diferentes daquelas que correspondem às nossas crenças e vivências atuais. É claro que, com o avanço da influência das religiões ocidentais, ativaram-se também as atitudes repressoras da sexualidade, vinculando-a cada vez mais ao aspecto reprodutivo e reprovando qualquer prática que destoasse disso. Além do mais, o sexo passou a ser visto como revelador das piores propriedades humanas, estimulando as conquistas eróticas fora do contexto das instituições familiares — o adultério. Aos poucos, o sexo foi colocado na categoria das propriedades humanas a ser severamente reprimidas, uma vez que poderia estimular posturas e atitudes frontalmente opostas aos melhores propósitos da estabilidade da família, das instituições e dos desígnios das igrejas.

Os pensadores religiosos não deixavam de ter suas boas razões: o sexo, em especial sua manifestação relacionada com o desejo visual masculino, transborda qualquer fronteira e regulamentação estabelecida (o desejo é intenso e indiscriminado, bem difícil de ser freado;

Sexualidade sem fronteiras
Flávio Gikovate

isso vale, é claro, para o processo psíquico ligado ao desejar e não para a ação erótica, pois esta pode ser freada pela razão). O desejo visual masculino se dirigia às mulheres particularmente belas e atraentes — que, com isso, ganhavam um poder bastante intenso e assustador. O jogo erótico de sedução poderia, com facilidade, desarticular a ordem familiar e social estabelecida. Aliás, o mesmo valia para a paixão amorosa, tema de alguns dos romances mais famosos de nossa história, nos quais o encantamento sempre surge em oposição às normas estabelecidas e, portanto, em oposição aos interesses maiores da estabilidade familiar e social.

Reprimir a sexualidade passou a ser norma no Ocidente, estabelecendo-se regras para os matrimônios (monogâmicos), e as práticas eróticas que transbordassem esses limites (quase sempre exercidas pelos homens) desembocavam nos prostíbulos, onde um grupo de mulheres era segregado para uso comum. O sexo reprodutor era praticado em família; o sexo lúdico, nos prostíbulos. Em certas culturas, o uso da burca tornou-se uma maneira peculiar de repressão sexual, limitando o poder sensual das mulheres e diminuindo o desejo visual masculino sempre com o mesmo intuito: a preservação das instituições. Trocas eróticas com parceiros do mesmo sexo vão se tornando cada vez mais proibidas e submergem, tornando-se invisíveis.

vinte e sete

São muitas décadas tentando entender os fenômenos da sexualidade, buscando encontrar uma fórmula capaz de explicar o maior número possível de questões que encontramos no dia a dia da clínica. Penso que meu livro *Sexo* já corresponde a um importante avanço sobre os pontos de vista que vinha defendendo até então, clareando muitos dos aspectos do tema principal desse texto — daí a intencional repetição de certos conceitos. Porém, acho que fui capaz, me despojando ainda mais das velhas crenças e de resíduos de preconceito, de vislumbrar um avanço radical. Ou seja, abordar a questão do sexo de uma forma nova, mais abrangente e útil.

Parto de algumas premissas, todas baseadas em evidências. A primeira delas é a de que é conveniente separar a prática sexual em duas grandes vertentes, sendo a primeira relacionada com a reprodução — que talvez seja a razão de sua existência biológica. O sexo reprodutor pressupõe, é claro, um homem e uma mulher, ao menos em sua manifestação natural (hoje, graças aos avanços tecnológicos, podemos ver a reprodução como uma prática individual feminina, condição na qual uma mulher pode fazer uso de espermatozoides

Sexualidade sem fronteiras
Flávio Gikovate

adquiridos em um banco de esperma). **Graças a outro avanço tecnológico que determinou uma mudança radical na forma de existirmos — a descoberta e a comercialização da pílula anticoncepcional —, pudemos ver com clareza a nítida separação entre o sexo reprodutor e a segunda vertente, a do sexo lúdico.**

Até os anos 1960, o sexo lúdico era visto com reservas, justamente porque poderia desembocar facilmente em uma gestação indesejada. (Apenas a título de curiosidade, cito o modo como as prostitutas nos chamavam, nos anos que antecederam à chegada da pílula, para a prática sexual: "Vem aqui... Vamos fazer nenê?") As famílias das moças de boa formação tinham, em razão desse risco, todas as justificativas para não permitir que suas filhas ficassem sozinhas um minuto sequer com seus namoradinhos. Não queriam correr o risco de vê-las se "perder" por força de um momento de "fraqueza".

A separação entre sexo reprodutor e sexo lúdico abria as portas para que refletíssemos sobre o assunto de uma maneira totalmente nova, o que de fato não aconteceu. O sexo lúdico poderia ter tido como referência aquilo que acontece durante a infância, quando meninos e meninas trocam carícias eróticas de modo indiscriminado e livre. A mesma postura leve e descontraída, despojada de pressões e de preocupação com desempenho, poderia ter sido adotada como forma de vivenciar o sexo ao longo da maturidade e até da velhice. O sexo lúdico não precisaria privilegiar qual-

Sexualidade sem fronteiras
Flávio Gikovate

quer roteiro preestabelecido, não "pediria" parceiros de sexos opostos e em fase reprodutora. Permitiria uma visão do sexo nada utilitária, totalmente voltada para o prazer. Infelizmente, nada disso aconteceu.

vinte e oito

Considero relevante separar o sexo lúdico em dois modelos bastante distintos: aquele que se direciona para o jogo erótico de sedução e conquista e o que se dedica à troca de carícias entre dois parceiros que já se conhecem há algum tempo e têm um convívio mais estável. O jogo de sedução e conquista envolve essencialmente o desejo; nos homens, tem muito que ver com o desejo visual. Entre as mulheres, também existem formas peculiares de jogo erótico (que acontecem entre elas ou entre elas e os homens); elas aprendem, pela experiência, a se tornar atraentes e interessantes do ponto de vista da beleza física, da sensualidade e dos modos dengosos e peculiares, sempre de acordo com os objetivos que pretendem atingir. Homens e mulheres conhecem as regras do jogo e, é claro, que uns são mais hábeis e competentes do que outros.

No jogo erótico de sedução e conquista, além da aparência física, são relevantes outros aspectos relacionados com a vaidade: conquistar alguém bastante cobiçado, alguém famoso ou poderoso, alguém admirado pelo grupo de referência no qual convive etc. Sendo a beleza uma condição menos comum e muito

Sexualidade sem fronteiras
Flávio Gikovate

relacionada com as peculiaridades genéticas (afora, é claro, o empenho que cada um pode fazer para estar na melhor forma), não é impossível que o fascínio pelo jogo erótico de sedução e conquista dependa de o indivíduo se sentir privilegiado (ou não) nesse item de sua constituição. Muitos dos que não são bem-dotados de beleza tratam de compensar essa frustração pelo desenvolvimento de outros dotes de sedução (entre os homens, o sucesso profissional e financeiro e o requinte intelectual, por exemplo) com o intuito de se credenciar para o sucesso nessa área. **Direta ou indiretamente, creio que a aparência física é fator de grande relevância na forma como cada pessoa vive sua sexualidade ao longo da vida adulta.**

O sexo baseado na troca de carícias entre pessoas que se conhecem e convivem se funda mais que tudo na excitação. Fenômeno essencialmente táctil e não visual, corresponde a uma forma de produzir — um no outro quando a dois e em si mesmo quando sozinho — uma inquietação interior agradável que culmina numa descarga erótica. É claro que o desejo visual também pode estar presente nesse fenômeno, assim como é óbvio que, depois do sucesso na conquista de um novo parceiro, por meio da troca de carícias serão produzidas as excitações tácteis capazes de gerar a descarga orgástica ou ejaculatória.

A troca de carícias eróticas entre parceiros que convivem de forma mais ou menos estável costuma implicar um envolvimento de natureza sentimental. É por essa rota que caminham os relacionamentos amorosos

Sexualidade sem fronteiras
Flávio Gikovate

que, como regra, se iniciam em função do fascínio exercido pelo outro por inúmeros outros aspectos além da aparência física, mas onde também costuma existir algum tipo de jogo no qual o desejo pode ou não ser relevante. **Mesmo quando o início de um relacionamento é governado por forte desejo, sua tendência é na direção do arrefecimento: é difícil desejar aquilo que se "possui", o que não impede que se sinta enorme prazer e felicidade por estar junto daquela criatura.**

As mesmas duas formas de estimulação erótica também aparecem na masturbação. Assim, as carícias que a própria pessoa faz em si, estimulando suas zonas erógenas, são, em geral, alimentadas por fantasias (ou, hoje, por estímulos visuais que abundam na internet). Estas podem ser dos dois tipos: aquelas em que se imagina estar com determinado parceiro e aquelas em que se imagina estar num contexto de sedução e conquistas.

vinte e nove

Outro aspecto que não cabe negligenciar é o que nos ensina que o clima em que se dá o fenômeno erótico é deveras importante. Ele pode estar mais voltado para a vertente romântica ou para o lado da vulgaridade, da grosseria e da agressividade. O clima depende um pouco do contexto real e outro bom tanto da imaginação das pessoas envolvidas. Boa parte das mulheres vai bem sexualmente num contexto sentimental, no qual talvez se excitem em função de se sentir se entregando, se submetendo, se doando ao parceiro (algo parecido com o que Freud chamava de masoquismo essencial das mulheres). São poucos os homens que gostam de um clima erótico mais romântico e muitos os que se sentem totalmente travados e inibidos nesse contexto.

São muitas as razões para que a grande maioria dos homens se sinta mais confortável quando o clima erótico é o da vulgaridade e até mesmo de certa agressividade. O fato é que muitas mulheres também se dão bem ao participar desse tipo de ambientação (no qual o vocabulário se torna chulo). Já me refiro ao assunto e aqui repito rapidamente: existem bases biológicas para que o sexo reprodutor tenha compromisso com a

Sexualidade sem fronteiras
Flávio Gikovate

agressividade, e os mais violentos provavelmente tiveram mais chance de copular. O que as crianças veem ou ficam sabendo acerca da atividade sexual dos adultos se parece mais com uma luta do que com a troca de carinhos; o jogo erótico de sedução e conquista envolve mentiras e as pessoas fazem qualquer coisa para atingir o objetivo sexual; a correlação entre o sexo e a agressividade está gravada na cultura, sendo os palavrões seu principal exemplo.

Creio que o compromisso do sexo com a agressividade gravita mais que tudo no domínio do desejo, tanto o de natureza reprodutora como o de caráter lúdico relacionado com o jogo erótico de sedução e conquista. É nesse último aspecto que ele se mostra mais evidente: os machões sentem inveja — e raiva — das mulheres por não ser desejados por elas; isso parece atiçar seu desejo, tanto o sexual quanto o de vingança. Muitos homossexuais que foram humilhados e agredidos por outros meninos durante a infância crescem com enorme raiva deles: são amigos das mulheres e sentem forte desejo sexual e de vingança contra os homens. É triste constatar que as pessoas acabam desejando justamente as criaturas que menos lhes agradam.

De todo modo, um discreto clima menos romântico e mais vulgar na hora do sexo é algo atraente para quase todo mundo. Até mesmo os que estão num contexto em que predomina a excitação (troca de carícias) e não o desejo, deixar de lado o aspecto sentimental e se voltar para o sexual (fenômenos totalmente diferentes que se acoplam com dificuldade), cujo contexto é mais animal e carnal que amoroso, cria sensações eróticas mais intensas. É o que costumam fazer quase todos os pares que convivem por longo tempo.

trinta

Um dos maiores entraves para que consigamos avançar no entendimento da questão sexual, afora o enorme volume de crenças e preconceitos aí envolvidos, é a forma como nossa cultura trata os meninos. Registro outra vez que as meninas são bem mais poupadas, sendo muito mais livres para sair do padrão cultural vigente (que, diga-se de passagem, para elas, está em rápida e radical mudança). Os meninos continuam tendo de seguir rigorosamente os parâmetros tradicionais. As meninas hoje estão jogando futebol, mas os meninos continuam não podendo se interessar por bonecas. É incrível que isso não se modifique mesmo nos atuais tempos unissex. As meninas podem ser mais viris, porém os meninos não podem mostrar-se mais delicados. Para elas, a concepção de um mundo unissex já está em vigor. Para eles, não.

É intrigante observar como, ao longo da infância, os pais (e as mães) temem mais a homossexualidade de seus filhos do que a de suas filhas. **Por que consideram essa possibilidade tão grave?** Isso justifica seu já citado combate aguerrido para que seus filhos varões ajam de acordo com o padrão tradicional masculino,

Sexualidade sem fronteiras
Flávio Gikovate

não importando os desdobramentos nefastos que isso provocará no modo como lidarão com as mulheres ao longo da vida adulta: esposas oprimidas querem que seus filhos se tornem parecidos com seus parceiros. Isso ilustra, de modo veemente, a força das crenças e a dimensão dos preconceitos que ainda cercam o assunto.

No ambiente cultural em que vivemos não tenho observado nenhum sinal de mudança nesse tipo de comportamento. Aliás, também não vejo mudanças na atitude de muitas moças adultas: ao ser rejeitadas sentimental ou sexualmente, de imediato se perguntam (ou a uma amiga): "Será que ele é gay?" É incrível, mas se um rapaz não tem ereção na primeira relação sexual com uma parceira nova muitas são as que se perguntam o mesmo. Se um rapaz manifesta algum indício de que acha graça em ser acariciado na região anal, a dúvida cresce ainda mais. **Aliás, vários homens compartilham do mesmo ponto de vista, ou seja, só um gay pode gostar de carícias anais — e muitos gays também pensam assim.**

31
trinta e um

Quase todos os homens, mesmo os que não tiveram nenhum problema para se identificar com o padrão tradicional masculino exigido durante os anos da formação, veem as mulheres como aquelas que vão julgá-los, avaliar sua virilidade de acordo com o que se espera de um macho adequado. É curioso verificar como, nesse aspecto, os homens são frágeis: serão bons ou ruins de cama segundo a avaliação delas. Serão aprovados ou reprovados no teste erótico, e quem julga são elas! Até há pouco tempo, as mulheres estavam completamente dispensadas de ser boas de cama, devendo na verdade ser recatadas (talvez para não aumentar a insegurança dos parceiros). Hoje, quando delas também se esperam competência e bom desempenho, passam a se sentir um pouco mais inseguras e, de certa forma, também avaliadas por eles. **De todo modo, quanto maior for a preocupação com o desempenho e com a avaliação que o parceiro fará (e um parceiro muito valorizado gera aflição maior), mais distante se fica do sexo lúdico, aquele em que o puro prazer, nada competitivo, é o que realmente conta.**

A influência da cultura sobre o que nos acontece é bem maior do que os profissionais de psicologia tendem a con-

Sexualidade sem fronteiras
Flávio Gikovate

siderar. Somos dependentes de predisposições biológicas inatas (genéticas ou não); das propriedades da família específica na qual nascemos e da forma como nos relacionamos com mãe, pai e irmãos; e muito também de como, desde os 2 ou 3 anos de idade, passamos a entender e avaliar tudo que nos cerca — dependemos, pois, de como se monta o nosso sistema de pensamento, o nosso *software*. Porém, nos apoiamos demais nas normas e nos padrões sociais do ambiente no qual crescemos, no modo como somos tratados na escola, no clube, nos espaços públicos que frequentamos cada vez mais cedo.

Meu raciocínio anda na contramão do que se pensa e faz. A meu ver, uma sociedade que propõe um único padrão como próprio da virilidade exclui do seu seio todos aqueles que não conseguem (ou não querem) se encaixar nele. Em outras palavras, penso que uma das **principais causas do encaminhamento de meninos que, quando adultos, acabarão por se interessar apenas por rapazes é a forma brutal e cruel como foram tratados por ser diferentes do que "se espera de um macho".** O pavor absurdo que as famílias têm de que seus filhos venham a crescer desinteressados de mulheres provoca rejeição e violência contra eles, sendo essa uma das causas para que aconteça exatamente o que mais temem. **Em vez de impedir que venham a ser homossexuais, contribuem em larga escala para que assim seja.**

Acredito que viveríamos num contexto muito diferente se os meninos crescessem com a mesma liber-

Sexualidade sem fronteiras
Flávio Gikovate

dade que as famílias atribuem às meninas, se meninos e meninas pudessem ter universos de interesse compartilhados de verdade. Em economia se usa o termo "profecia que se autorrealiza" (por exemplo, quando as pessoas ficam com medo de que o dólar suba, tratam de comprar mais dessa moeda para se prevenir; o resultado final é que ela de fato alcançará valores cada vez mais altos). Acho que em relação ao tema da homossexualidade acontece o mesmo: quanto mais se procura impedir e se age nessa direção, mais são criadas as condições para que esse seja o resultado final. **Em síntese: a homofobia social e familiar contribui para o encaminhamento homossexual.**

Os preconceitos sociais não se desfazem do nada. Isso depende da mudança de postura de cada família. Se, em vez de censurarem seus filhos mais delicados, as famílias se empenharem em cultivar e valorizar suas qualidades, contribuirão para sua autoestima. Se, em vez de rejeitados, eles se sentirem acolhidos e respeitados, crescerão muito mais felizes e isso só poderá lhes fazer bem. Ficarão menos rancorosos e, talvez por essa razão, serão mais livres.

Cada família precisa ter princípios e valores claros e definidos. Penso que eles devem ser transmitidos a seus filhos de forma sistemática, metódica e regular. Penso também que os pais que educam seus filhos em um mundo de rápidas e constantes transformações têm o dever de refletir continuadamente sobre o que está acontecendo no meio social em que vivem. Não podem

Sexualidade sem fronteiras
Flávio Gikovate

se acomodar com o que consideram o melhor. Os tempos vão mudando e precisamos aprender a refletir criticamente sobre tudo que acontece. **Nem todas as mudanças são negativas. Por exemplo, as denúncias atuais acerca do *bullying* nas escolas podem representar o início de uma investida consistente dos educadores e das famílias contra as agressões gratuitas que muitos meninos (e outras tantas meninas) sofrem no ambiente escolar. É a primeira vez que nossa cultura se ocupa desse assunto que sempre existiu assumindo uma atitude crítica, repressora em relação à violência e à agressividade, em especial a dos meninos. É a primeira vez que se assume uma postura que desqualifica a agressividade masculina, nem sempre sinal de virilidade e sim de barbarismo. Essa é uma boa notícia que trará desdobramentos interessantes também para o tema que estamos abordando.**

Muitas das mudanças mais relevantes que provocaram forte impacto em nossa forma de viver foram sutis e, até certo ponto, inesperadas. Quem criou a pílula anticoncepcional não tinha a menor ideia de quanto ela influenciaria as futuras gerações. Penso o mesmo das principais invenções contemporâneas (televisão, computadores pessoais, telefones celulares etc.), assim como o que aconteceu com o surgimento, ainda que casual, do "ficar". É dessa ótica que observo o fenômeno do *bullying*, que poderá ser o passo inicial para que se concretize uma enorme mudança de atitude das famílias (e das próprias crianças) no sentido da maior aceitação

Sexualidade sem fronteiras
Flávio Gikovate

daqueles que são diferentes da maioria e, nem por isso, têm de ser objeto de agressões derivadas de qualquer tipo de preconceito.

32 trinta e dois

Vamo-nos ater mais um pouco ao período em que os jovens deparam com a chegada do sexo adulto. Além dos caracteres sexuais secundários e da possibilidade de procriar, surge outro fato relevante: a vida deixa de ser brincadeira e passa a ser levada a sério. Isso talvez dependa essencialmente da importância crescente da vaidade, de modo que rejeição e humilhação passam a ser dores terríveis e muito temidas. Infelizmente, como o sexo não escapa dessa regra geral, suas manifestações lúdicas e inconsequentes da infância vão se esvaindo até mesmo nas vivências do tipo do ficar, nas quais rejeições e humilhações, ainda que não seja a norma, vez por outra acontecem. O jogo erótico de conquistas é tudo menos um esporte leve e descontraído, já que qualquer derrota abate a autoestima do que é rejeitado.

Nesse aspecto, as moças não sofrem tanto porque se preocupam menos com seu desempenho (ainda que hoje isso esteja se tornando cada vez mais comum) nas trocas eróticas. De todo modo, a preocupação com a competência sexual ainda é bem menor que a dos rapazes. Elas podem ficar um tanto aflitas acerca das primeiras transas, aquelas que envolverão penetração; porém,

Sexualidade sem fronteiras
Flávio Gikovate

isso costuma acontecer mais tarde (pelos 16 ou 17 anos) e, em geral, com o primeiro namorado. O maior problema delas refere-se à aparência física. Rapidamente percebem que são desejadas mas não desejam da mesma forma. A situação é muito confortável para as mais atraentes; tudo é bem mais difícil para as menos interessantes. **Entre estas, muitas podem se sentir perdedoras nesse jogo, desenvolver hostilidade invejosa em relação às mais belas e perder o interesse em participar desse tipo de disputa. Tendem a se intelectualizar mais, a buscar outros interesses, com diversas variáveis podendo influenciar o modo como vão exercer sua sexualidade.**

Repito: as que crescem achando mais graça no universo masculino e sentindo certa inveja dos rapazes, ao perceberem que são desejadas mais do que desejam tendem a se aceitar muito bem como mulheres e desenvolver uma sensualidade sedutora com claro viés agressivo. A hostilidade costuma se transformar em sedução, provocação erótica. Nem sempre serão boas parceiras sentimentais nem mesmo sexuais (ao contrário do que demonstram). A menos que sejam criaturas muito pouco atraentes, costumam se orientar sexualmente para os homens, pois é com eles que fazem sucesso e é deles que sentem uma inveja hostil. **O desejo masculino quase sempre se beneficia da hostilidade agressiva, podendo se manifestar também de forma mais livre, casual, em que o objetivo é apenas a saciedade. O interesse feminino pode se acoplar tanto à**

Sexualidade sem fronteiras
Flávio Gikovate

agressividade como ao amor, mas é raro que o erotismo feminino apareça solto, livre. Algumas moças crescem muito desconfortáveis com sua condição de mulher e, desde cedo, consideram a hipótese de se interessar apenas por mulheres. Não raro sentem raiva da figura feminina, de modo que a identificação maior é com a figura masculina: identificação com o masculino e raiva do feminino predispõem à construção de um jeito de ser mais masculino e ao interesse erótico por mulheres. Essas são as moças cuja aparência é mais viril e as que todos consideram homossexuais. Elas não são a maioria das que trocam carícias eróticas com moças, e muitas das que se acham lésbicas podem, dada outra circunstância, vir a se envolver com um parceiro do sexo masculino. Então descobrem que não "eram" lésbicas, e sim que "estavam". O mesmo acontece com as que "estavam" heterossexuais e depois se encantam com uma parceira do mesmo sexo.

trinta e três

No caso das moças, ainda encontramos resíduos de sexo lúdico quando duas amigas se tocam e buscam conhecer o corpo feminino. O clima é de brincadeira e leveza. O mesmo não acontece com os rapazes, para os quais qualquer encontro com um corpo masculino desperta suspeita imediata e dúvidas acerca da virilidade. Não há sexo lúdico para os homens ao longo dos primeiros anos da vida adulta: são testes e mais testes, todos eles voltados para a avaliação de sua competência erótica. Além disso, descobrem que foram enganados, que a condição masculina não é tão maravilhosa. Para o desejo que eles sentem pelas moças nunca há correspondência. Para o interesse deles, às vezes sim e outras não. Desejar sem ser desejado é humilhante e provoca revolta e indignação em muitos moços.

Devemos nos deter na avaliação do desejo visual, pois ele assumirá peso capital para o tema que estamos tentando decifrar. Parto do princípio de que o desejo reprodutor é forçosamente dirigido às mulheres. Se a base biológica do sexo tem relação com a função reprodutora, é pela via do desejo masculino e por seu exercício um tanto rude e grosseiro (abordagem das

Sexualidade sem fronteiras
Flávio Gikovate

fêmeas, no passado nem sempre com a anuência delas) que ela se exerce. **Do ponto de vista estritamente biológico, fica difícil imaginar a existência de homens que, de nascença, já viessem destinados a, na adolescência, sentir desejo por outros homens: não teriam como se reproduzir e, portanto, como transferir sua característica para os sucessores.**

Onde cabe todo tipo de consideração — e da forma mais livre e não preconceituosa possível — é no domínio do sexo lúdico; aí sim se observa que um contingente relevante de homens manifesta desejo sexual por figuras do mesmo sexo. **Aliás, é muito mais fácil identificar o sexo desprovido de qualquer tipo de preocupação com desempenho qualitativo ou quantitativo no contexto das trocas eróticas entre dois homens do que entre homens e mulheres.** A grande maioria dos homens que tem preferência por mulheres vê no jogo de sedução e conquista algo relevante e aflitivo, sendo a rejeição ofensiva. Mesmo quando o contexto não é o da sedução, e sim o da simples troca de carícias eróticas com um parceiro mais que conhecido, são poucos os que não se angustiam em caso de esporádica dificuldade de ereção.

Poucos são os que "fracassam" em paz quando as trocas eróticas acontecem com uma mulher. É como se a honra e a dignidade masculinas estivessem sempre sendo avaliadas por elas. Porém, se o parceiro é outro homem, a ele não é atribuído o papel de juiz. Nesse aspecto específico das trocas eróticas sem preocupação com o desempenho, penso que as práticas com

Sexualidade sem fronteiras
Flávio Gikovate

parceiros do mesmo sexo se dão de forma mais leve, alegre e divertida. Talvez nesse sentido, e só nesse, caiba o termo que eles atribuem ao seu modo de ser: gays (alegres).

34
trinta e quatro

O desejo visual de caráter lúdico pode, em princípio, se dirigir para pessoas do sexo oposto, do mesmo sexo e de ambos. A ausência de desejo visual nas mulheres não significa que elas não distingam entre pessoas mais ou menos atraentes e encantadoras (de ambos os sexos). Sabemos que nelas o interesse erótico migra com mais facilidade e menos preconceito de um sexo para o outro. Na mente da maior parte dos homens, quando o desejo se dirige também para corpos masculinos o indivíduo já pensa em si como homossexual. É como se a homossexualidade, do ponto de vista deles, fosse definida pela presença de um desejo visual direcionado para os homens mesmo que ele exista também em relação às mulheres. "Sou gay" é o que pensa um homem nessa situação.

Como o desejo reprodutor forçosamente deve ser direcionado para as mulheres, que fatores poderiam alterar seu rumo numa direção não reprodutora, perfeitamente aceitável para a troca lúdica de carícias? Os fatores, segundo penso, são inúmeros, e de certa forma já os abordei ao longo deste texto. Apenas vou reproduzi-los à luz do que estou descrevendo. Parto do princípio de que é forte a aliança entre o desejo sexual e

Sexualidade sem fronteiras
Flávio Gikovate

a agressividade. Assim, é perfeitamente possível imaginar que muitos dos meninos mais delicados, que não preenchiam desde o início os critérios típicos da virilidade, foram objeto de *bullying*, sofreram ofensas físicas e morais por parte dos colegas (e às vezes da família). Cresceram humilhados, revoltados e com raiva de seus agressores, além de terem cultivado sérias dúvidas acerca de sua virilidade. **A associação entre o medo de fracassar diante das mulheres (medo presente, em grau variado, em quase todos os jovens) e a raiva contra figuras masculinas pode, a meu ver, determinar o redirecionamento do desejo e voltá-lo prioritariamente para o corpo masculino.** Esses homens desejam outros homens. Não sentem raiva das mulheres e talvez por isso mesmo não sintam desejo por elas.

Outra razão tem que ver com certas experiências marcantes da infância. Alguns dentre os meninos que foram abusados de forma sutil e discreta por adolescentes ou adultos lembram-se desse fato como agradável, de trocas eróticas gratificantes. Observei alguns casos em que esse tipo de reminiscência deixa um registro na memória interessante e libertário em termos de preconceito: é como se o menino tivesse se formado mais livre do pavor de sentir fascínio por figuras masculinas, de modo que não desenvolve a tradicional aversão dos rapazes (por força do preconceito) diante da possibilidade de trocas eróticas com parceiros do mesmo sexo. Não deixam de sentir desejo visual por mulheres, mas não raro sentem também fascínio por corpos viris.

Sexualidade sem fronteiras
Flávio Gikovate

Sendo o desejo dos homens tão influenciado pela visão, só mesmo um grande preconceito os impediria de admirar e eventualmente sentir desejo pelas formas masculinas. Se do ponto de vista reprodutor o desejo visual se dirige obrigatoriamente para corpos femininos, do ponto de vista lúdico não é impossível que, para muitos, a lembrança de sensações agradáveis se associe também às formas masculinas e até mesmo a aspectos específicos do corpo e da faixa etária do homem. Nossa cultura é tão preocupada com a sexualidade dos rapazes que o simples fato de alguns deles admirarem a beleza masculina já pode ser interpretado como indício de interesse erótico. Se não nos acautelarmos, o fascínio por determinadas esculturas (por exemplo, o Davi de Michelangelo) pode ser avaliado como problemático.

O oposto também acontece: rapazes muito bonitos são desejados por outros homens cujo entusiasmo visual já está dirigido para o corpo masculino. Esses moços, assediados por figuras masculinas de forma mais direta e convincente do que os olhares que recebem das moças, podem se sentir muito envaidecidos, encantados com o fato de, nesse contexto, serem eles o objeto do desejo sexual. **Ou seja, num contexto masculino, os homens mais belos são desejados e se excitam com isso da mesma forma que as mulheres quando despertam o desejo masculino. Mesmo que na atualidade as moças sejam mais ousadas em suas manifestações de interesse, existe uma diferença bem grande entre ser**

Sexualidade sem fronteiras
Flávio Gikovate

objeto de interesse e objeto de um desejo intenso. **Assim, moços muito bonitos e atraentes não raro se direcionam para a troca de carícias com parceiros do mesmo sexo numa condição privilegiada, qual seja, a de serem os cobiçados, os mais valorizados, os que não precisam fazer nenhum tipo de esforço para encontrar novos parceiros.**

Outra variável que também pode influenciar os caminhos eróticos dos jovens tem relação com o fascínio de tantos homens por circunstâncias que envolvam um ambiente erótico bastante vulgar, desprovido de regras, quase similar ao dos tempos primitivos. Sabemos que os contextos que envolvem as mulheres, em especial aqueles em que homens e mulheres se encontram, acabam sendo bem mais regulamentados. O que mais se aproxima da vulgaridade tão comum nos ambientes só de homens é o que se pode encontrar nos prostíbulos (não nos mais sofisticados). Aí reina o mesmo tipo de desregramento, porém vinculado ao dinheiro, fato não obrigatório nos ambientes masculinos. O fascínio pelos ambientes em que se dão muitas das experiências casuais entre pessoas do mesmo sexo pode ser um fator relevante para despertar o desejo visual por personagens desse mundo.

35
trinta e cinco

O desejo visual migra e deixa de ter como objeto o corpo feminino (desejo reprodutor original), principalmente nos casos em que as circunstâncias descritas antes se associam também ao medo de fracasso diante da hipótese de intimidade física com uma mulher. A experiência efetiva de fracasso pode nem ter existido devido ao medo. Já registrei de modo enfático um dos aspectos que considero mais graves em nossa educação: o sexo raramente é vivenciado de forma lúdica pelos homens e quase sempre está associado a uma espécie de exame de proficiência no qual serão julgados capazes ou incapazes pela mulher com quem forem para a cama. Esse absurdo deve ser revisto com urgência, pois está em franco desacordo com o que a maior parte delas sente nos primeiros encontros com um novo parceiro: se eles não forem bem-sucedidos na empreitada erótica, elas ficarão se achando feias ou nada atraentes. Poucas têm autoestima suficiente para, de fato, pensar que o problema é do parceiro.

Não fosse o medo de fracasso diante delas, penso que boa parte dos rapazes cujo desejo migrou para o corpo masculino experimentaria sensações interessantes também na troca de carícias com eventuais

Sexualidade sem fronteiras
Flávio Gikovate

parceiras. Afinal, entre esses homens encontram-se alguns dos que melhor se dão com elas como amigos. Tendem a admirá-las e a idealizá-las demais, o que torna ainda mais improvável que ousem se aproximar sexualmente delas. Acredito que a educação mais voltada para o mundo unissex, para onde evoluímos muito rapidamente, criará condições mais favoráveis para o fim dessa idealização exagerada do feminino por parte de tantos homens.

Penso que o medo do fracasso diante das mulheres, presente em quase todos os homens, é um importante fator que gera a irreversibilidade quase universal que encontramos entre aqueles homens que têm trocado carícias eróticas com outros homens. Não fosse o medo tão intenso, radical e drástico, talvez muitos ousassem interagir com alguma amiga íntima. Muitos talvez descobrissem que a troca erótica entre homens e mulheres não é tão desinteressante nem tão diferente da que acontece entre dois homens. Porém, sabemos que o medo é ainda maior para aqueles que já tiveram diversas experiências com parceiros masculinos. É como se isso já definisse uma garantia de incompetência para a troca gratificante com uma mulher. Nada disso acontece no universo feminino, onde o fato de uma mulher ter tido vários contatos com mulheres não impede que, criadas as condições favoráveis, ela vivencie trocas eróticas com um parceiro.

trinta e seis

Ainda teríamos de considerar algumas circunstâncias em que muitos homens se sentem excitados e nas quais, segundo eles mesmos, isso não deveria ocorrer. É o caso, num exemplo cada vez mais comum, dos rapazes que gostam de frequentar os sites pornográficos da internet e, no contexto protegido da vivência solitária, assistem a cenas eróticas entre dois homens ou entre um homem e um travesti. Talvez eles se sintam excitados diante do que veem — o que é mais que natural, dado o clima erótico que o filme irradia. Porém, o preconceito pode fazer que o rapaz passe a duvidar de sua heterossexualidade: onde já se viu achar excitante algo entre dois homens?

Na troca de carícias com uma parceira mais ousada, esta talvez toque e acaricie a região externa do ânus dele (ou até mesmo tente penetrá-lo com o dedo). Outra vez, o resultado pode ser surpreendente e assustador, pois não é raro que ele se sinta excitado com esse tipo de toque. Outra regra da enorme lista dos preconceitos masculinos é a de que o prazer anal é interditado aos que gostam de trocas eróticas com mulheres. O prazer anal estaria reservado apenas aos homens que se rela-

Sexualidade sem fronteiras
Flávio Gikovate

cionam com homens. **É curioso pensar que inúmeros homens são fascinados pela ideia de penetrar o ânus da parceira, supondo que ela extrairá disso uma grande satisfação (o que, como regra, não é o que acontece). Porém, sendo portadores de um órgão idêntico, acham indigno pensar na hipótese de ser estimulados e eventualmente penetrados pelos dedos delas (ou por algum instrumento).**

Os homens têm pavor de sentir excitação na região anal mesmo quando estão trocando carícias com parceiras estáveis e com as quais têm um histórico de bom desempenho sexual. É como se o fantasma da homossexualidade rondasse a mente masculina o tempo todo e, a qualquer momento e por qualquer deslize, pudesse ocorrer a indesejada alteração da orientação sexual. Homens maduros, vividos e inteligentes não raro foram incapazes de se livrar desse tipo de temor.

Muitas vezes, o que determina o surgimento de dúvidas acerca da virilidade é o fascínio que os homens sentem (uns mais, outros menos) pela figura do travesti. Esse personagem, comum na noite das grandes cidades, se expõe com uma ousadia incomum mesmo nas mulheres mais despudoradas, desperta com facilidade o desejo masculino (e talvez a inveja em certas mulheres, por força da audácia que manifestam ao se exibir). Outra vez o preconceito: será viril um homem que sente desejo por um travesti, ser que parece um misto de homem e mulher mas na realidade é mais homem do que mulher? Muitos respondem negativamente e pas-

Sexualidade sem fronteiras
Flávio Gikovate

sam a duvidar de sua masculinidade. Isso sem falar dos que gostam da intimidade com eles, intimidade essa em que não raro são penetrados por eles. Afinal, o que significa isso?

trinta e sete

Não há como negar que, do ponto de vista sexual, a mente masculina é bem mais complexa do que a das mulheres. A maior parte daquelas que preferem as trocas eróticas com mulheres não é preconceituosa a ponto de não conseguir imaginar qualquer tipo de intimidade com um homem. Costumam fixar sua posição a favor de uma vida homoerótica porque ao longo das experiências que tiveram extraíram mais prazer no convívio com parceiras — ou porque se envolveram sentimentalmente com uma mulher que lhes despertou especial interesse humano e com quem as trocas eróticas também foram prazerosas.

A grande maioria das moças chega à puberdade e à adolescência com definições claras direcionadas para uma vida heterossexual. Alguns imprevistos poderão alterar seu destino. Muitas iniciam a vida sexual com homens e com um deles acabam por realizar o sonho, ainda bem presente, de se casar e ter filhos. Depois, em virtude de decepções ou de outras circunstâncias, acabam se apaixonando por uma mulher, abandonam a vida conjugal tradicional e passam a viver com a nova parceira. Outras buscam trocas eróticas e sentimentais

Sexualidade sem fronteiras
Flávio Gikovate

com mulheres desde a adolescência, de modo que suas experiências com parceiros masculinos são poucas ou inexistentes.

Um ingrediente que também contribui para o direcionamento mais voltado para a busca de intimidade com mulheres pode se manifestar naquelas que se acham, seja isso verdade ou não, menos atraentes e interessantes aos olhos dos homens. Em vez de disputar a atenção e o interesse deles com moças que elas consideram mais bem-dotadas, preferem se afastar dessa competição e buscar a intimidade, igualmente gratificante, com mulheres (que não raro fizeram opção semelhante). Não deixam de ter suas razões ao não querer se esfalfar numa disputa cada vez mais acirrada por homens cada vez mais indisponíveis para relacionamentos estáveis e consistentes.

Sendo as trocas eróticas igualmente prazerosas — quando não mais, pois muitos são os homens que agem com ignorância ou negligência no trato com o corpo feminino —, não é difícil supor que o envolvimento sentimental e sexual entre mulheres possa vir a se tornar bem mais frequente. Afinidades de gosto e de interesse entre elas são mais fáceis de acontecer do que com a maioria dos homens. O número das que estudam mais e ocupam boas posições profissionais cresce numa proporção maior do que entre os homens, de modo que não é impossível que as afinidades intelectuais e culturais sejam crescentes entre elas. Além disso, o simples fato de não precisarem se desgastar demais com excessiva preocupação com o físico também é uma boa vantagem a favor

Sexualidade sem fronteiras
Flávio Gikovate

do relacionamento íntimo com uma parceira do mesmo sexo, em que o elemento visual é menos relevante do que as virtudes de caráter e outros atributos subjetivos.

Penso que até as moças que não cresceram cientes de que se interessariam por mulheres podem, em virtude de suas vivências eróticas, em algum momento da juventude (ou mesmo da maturidade) declarar a si mesmas: "Eu sou lésbica". A partir daí, está decretado o seu destino erótico e sentimental.

trinta e oito

Os homens, bem mais preconceituosos e inseguros a respeito dos temas relacionados com o sexo — e principalmente com sua virilidade —, chegam a esse tipo de conclusão muito mais rápida e radicalmente. Ao perceberem que admiram e desejam o corpo masculino, já colocam em dúvida sua masculinidade. Ao lembrarem que sentiram prazer em alguma troca de carícias eróticas que tenha ocorrido nos últimos anos da infância, cogitam seriamente que talvez sejam gays. Ao perceberem que sentem fascínio e desejo pela figura de um travesti bastante ousado na sua forma de se exibir, ficam ainda mais desconfiados. Ao temerem se aproximar de uma mulher para o "exame de virilidade", também se sentem bem ameaçados.

Se fugirem da experiência ou falharem, terão quase certeza de que não são "normais" sexualmente. Se o medo aumentar por força do fracasso, o jovem tenderá a evitar seguidamente novas tentativas; e, se isso vier acompanhado do aumento do fascínio pelo universo erótico do que acontece entre homens, ficarão cada vez mais convencidos de que não pertencem ao grupo dos heterossexuais. Se ao navegarem pela internet se excitarem — e

Sexualidade sem fronteiras
Flávio Gikovate

masturbarem — diante de imagens que envolvem dois homens, terão cada vez mais certeza de fazer parte desse mundo. Se se afastarem dos rapazes por medo de contar a eles sua inexperiência com mulheres e sentirem mais facilidade nas conversas com as moças do que com os colegas, a situação vai piorar ainda mais. Se notarem que são olhados com interesse e desejo por outros rapazes cuja orientação homoerótica já está bem definida, terão outro reforço à ideia de que pertencem a esse grupo.

Torna-se quase inevitável que, em algum momento do futuro, digam a si mesmos: "Eu sou gay". Terão sido meses ou anos de titubeio até que, finalmente, se rendem ao que consideram ser evidências inquestionáveis. O susto é bem grande num primeiro momento. Penso que muitas moças vivenciam a hipótese de uma vida homoerótica como algo um pouco mais fácil. No caso dos rapazes, imaginam logo a dificuldade que terão ao contar a um amigo ou confidente sobre sua "descoberta"; isso sem falar do pavor que podem experimentar ao cogitar que seus pais desconfiem e, em algum momento, deparem com aquela que seria uma das piores notícias que poderiam receber. Isso como regra; é claro que há inúmeras exceções.

Muitos moços passam a conviver com um sentimento duplo: de um lado, certo fascínio por um estilo de vida aparentemente mais descontraído; de outro, o pavor das represálias sociais a que poderão estar sujeitos. De todo modo, costuma haver um intervalo variável entre a "constatação" do "Eu sou gay" e o momento em

Sexualidade sem fronteiras
Flávio Gikovate

que passam a buscar experiências efetivas com parceiros do mesmo sexo.

Não posso deixar de registrar que, nesse ponto da história pessoal de um bom número de rapazes, eles decidem se abrir com seus pais numa espécie de pedido de socorro: não estão satisfeitos e muito menos conformados com a inexorabilidade do rumo que estão prestes a seguir e desejam saber se existe algum tipo de ajuda que possam receber. **Esse é um ponto polêmico entre os profissionais de psicologia: uns consideram que se deve auxiliar o jovem a aceitar o seu inexorável destino, enquanto outros pensam que, nesse como em tantos outros temas relevantes, não existe destino inexorável e o papel do psicoterapeuta é o de tentar ajudar seu paciente a caminhar na direção que ele — o paciente — acha mais adequada — e é nesse segundo grupo que sempre me incluí.** Uma observação mais isenta nos mostra que são tantas as variáveis envolvidas na questão da sexualidade masculina que não cabe qualquer conclusão rápida e definitiva. Todo esforço que seja uma contribuição honesta para clarear o assunto é sempre muito bem-vindo, e esse é meu objetivo pessoal com este trabalho.

39 trinta e nove

Quando uma moça diz a si mesma "Eu sou lésbica" ou quando um rapaz conclui "Eu sou gay", acaba de ser erguida uma parede, um muro divisório, que separa de forma radical e inexorável dois territórios até certo ponto incomunicáveis: de um lado ficam os heterossexuais e do outro os homossexuais, sendo os bissexuais considerados — por ambos os grupos — da turma dos homossexuais. Pronto, os seres humanos passam a ser divididos em dois grupos que se hostilizam entre si, desenvolvem estratégias de sobrevivência, organizam-se em sociedades protetoras de seus direitos e tudo o mais. Costumo, jocosamente, comparar esse muro com o que foi erguido em Berlim, separando a Alemanha em duas — ou seja, dividindo o que era único em dois blocos que passaram a se digladiar.

Como toda tentativa de separar o que é uno (tanto faz se a Alemanha ou os seres humanos) em dois grupos radicalmente diferentes e antagônicos, o muro de Berlim tinha um prazo de validade limitado e, mais dia, menos dia, cairia. E mais, ao longo de sua existência sempre houve aqueles inconformados que tentaram de algum modo abandonar um dos lados e migrar para o

Sexualidade sem fronteiras
Flávio Gikovate

outro. Muitos se deram mal, mas outros conseguiram alcançar seu intento.

Nesse ponto, eu gostaria de antecipar o final do livro e deixar claro o meu intuito: o de contribuir para a derrubada dessa muralha, artificial segundo meu ponto de vista, que se construiu separando as pessoas em dois grupos de inimigos pelo simples fato de, por inúmeras razões — voluntárias ou involuntárias —, terem seu interesse erótico direcionado para parceiros do mesmo sexo ou do sexo oposto. A queda desse muro altera de forma radical a maneira como abordamos e estudamos a questão sexual, abrindo espaço para que as pessoas não precisem mais se definir como portadoras de uma orientação sexual definitiva. A derrubada do muro permite aos habitantes de um lado migrar para o outro — e vice-versa — quantas vezes isso lhes parecer razoável ou adequado. Creio que só assim poderemos falar em liberdade sexual.

quarenta

A partir do momento em que uma pessoa se define como heterossexual ou homossexual, passa a evitar qualquer tipo de experiência que esteja em oposição ao que ela mesma determinou. Torna-se membro efetivo do seu lado e desenvolve preconceitos contra quem "vive" do outro lado. **Muitos são os que têm certeza de que fizeram a melhor escolha, enquanto outros ficam numa eterna dúvida acerca de quão legítima foi sua escolha. Isso vale tanto para os membros de um lado (heterossexuais que, por vezes, fantasiam intimidades com o seu gênero), como do outro (homossexuais que, por vezes, cogitam da hipótese de ter se acovardado diante de vivências com o sexo oposto).**

Uma vez decididas a ser membros de uma facção, as pessoas passam a se comportar de acordo com as normas que mais se aproximam de seu modo íntimo de ser: os homens mais voltados para o erótico buscam participar dos jogos de sedução e conquista que lhes são típicos, enquanto os mais voltados para o romance buscam parceiros estáveis (isso vale para ambos os lados do muro). No universo heterossexual, o sexo casual é bem mais trabalhoso do que no homossexual, já que as mulheres, ao

Sexualidade sem fronteiras
Flávio Gikovate

contrário dos homens, costumam dificultar ao máximo as trocas eróticas sem compromisso. Do ponto de vista romântico, as alegrias, assim como as dificuldades e os problemas que envolvem fortes elos sentimentais, são muito parecidas em ambos os lados. São mais estáveis os elos sentimentais entre duas mulheres, já que elas buscam menos as experiências relacionadas com o sexo casual. Nos que envolvem dois homens a infidelidade sexual é mais frequente. Nos vínculos entre um homem e uma mulher, os homens costumam ser mais infiéis — sexo casual — do que as mulheres.

A maneira como se desenvolvem as histórias de vida de cada uma dessas pessoas, movidas por preconceitos, pelo sexo baseado no desempenho, em que o desejo parece ser muito mais importante do que a excitação, em que quase todos copiam os modelos — nem sempre muito adequados — dos filmes eróticos (que, hoje, são os efetivos "mestres" nas artes do sexo), tudo isso é do conhecimento geral. **A grande maioria das pessoas continua a pensar no sexo como um fenômeno interpessoal, como uma troca profunda de emoções e intimidades. Consideram sexo e amor parte do mesmo impulso e ainda usam a expressão "fazer amor" como sinônimo de "relação sexual" não sendo nem mesmo essa expressão a mais adequada (talvez a ideal seja o neologismo "transa"). Penso que o sexo é um fenômeno pessoal que só ganha caráter interpessoal (de uma efetiva relação) quando o amor participa dele, o que, todos sabem, não é obrigatório.** De resto, o sexo é cla-

Sexualidade sem fronteiras
Flávio Gikovate

ramente pessoal: pode haver estimulação erótica solitária, na hora do prazer as pessoas cerram os olhos, o outro desaparece e cada um sente apenas as vibrações que acontecem dentro de si.

quarenta e um

Circunstâncias extraordinárias ou acontecimentos aleatórios podem fazer que certas pessoas sejam levadas a passar por "túneis" que as levam de um lado ao outro do muro. **É o que acontece nos exemplos, já citados das cadeias, dos campos de batalha e dos antigos navios mercantes, onde só havia homens — ambientes nos quais as intimidades homoeróticas eram costumeiras.** Os próprios preconceitos são devidamente regulamentados: na ausência de mulheres, as intimidades entre homens são não apenas aceitáveis como consideradas um sinal de virilidade. Se essas mesmas trocas acontecessem num ambiente em que houvesse mulheres, isso seria tratado como óbvia manifestação homossexual. Nas cadeias, os travestis substituem as mulheres. Nas ruas, sentir desejo por travesti coloca a virilidade de um homem sob suspeita. Os marinheiros, ao chegarem aos portos, dirigem-se para os bordéis, buscando a parceira feminina; isso corresponde a uma espécie de resgate de sua masculinidade.

Em meados do século XX (ou seja, há 50 anos), muitos adolescentes mais pobres frequentavam os ambientes onde circulavam, ainda que de modo discreto,

Sexualidade sem fronteiras
Flávio Gikovate

homossexuais mais velhos. Esses jovens achavam conveniente agir como os "ativos" nas relações íntimas com eles desde que em troca de algum dinheiro, forma disfarçada de prostituição masculina que existe, explícita, até hoje. Esses moços nunca se consideraram homossexuais. Ao contrário, naquele tempo ser o ativo era sinônimo de "muita macheza", enquanto o passivo era o homossexual. Isso não vale mais para os dias que correm, mas muitos dos rapazes que se prostituem com homens namoram mulheres e se consideram heterossexuais. As normas que regem os preconceitos são mesmo um tanto pitorescas.

É bom registrar que inúmeros adolescentes daquela época mantinham intimidade de natureza erótica com animais (galinhas, cabras etc.), conduta tida como aceitável por suas famílias — que faziam "vista grossa" para tais fatos. É evidente que essas práticas eram próprias dos tempos anteriores ao ficar e às facilidades introduzidas pela internet. Os jovens, especialmente do sexo masculino, viviam a sexualidade em geral de maneira bastante nebulosa: tudo era feio, pecado, fazia mal à saúde; a masturbação faria crescer pelos nas mãos dos moços e outros absurdos que só se explicam mesmo pela completa falta de nexo de todas as formas de crenças herdadas de uma época em que a finalidade maior era a de reprimir qualquer tipo de sexo não reprodutor.

Durante a juventude, muitas moças tiveram (e têm) vivências homoeróticas determinadas pela curiosidade e, nos tempos atuais, estimuladas por inúmeros filmes

Sexualidade sem fronteiras
Flávio Gikovate

eróticos que envolvem essas trocas. Já registrei que sobre elas não pesa a sombra de um preconceito tão forte, de modo que sua feminilidade não fica abalada por esses contatos, mais fáceis e usuais do que entre homens, ainda que esporádicos. Não é raro também que elas aconteçam tendo como facilitadores o álcool, a maconha e outras drogas. Para muita gente, o álcool em particular age como importante afrodisíaco, facilitando vivências desse tipo.

Experiências em que se ultrapassam as fronteiras entre os dois "mundos" em que o erotismo se dividiu são bem frequentes em situações especiais, como nos clubes de suingue, nos casos de sexo grupal.

Muitos dos heterossexuais que "migram" para o outro lado do muro tinham fantasias homossexuais esporádicas, e não são raros os casos em que foram objeto de algum tipo de vivência especialmente marcante durante a infância. Por inúmeras razões, entre elas uma forte frustração com suas parceiras femininas (por motivos de temperamento e caráter mais do que de ordem sexual), acabam dando vazão a suas fantasias. Podem desenvolver uma prática que chamamos de bissexualidade, ou seja, sentem desejo e mantêm intimidade erótica com parceiros de ambos os sexos.

Do ponto de vista das mulheres, na grande maioria dos casos, os fatos correspondentes a essas escapadas e migrações para o outro lado do muro não deixam sequela, ou seja, não fazem que as que delas participam fiquem em dúvida acerca de sua escolha erótica principal. **A grande exceção a essa regra corresponde ao que acon-**

Sexualidade sem fronteiras
Flávio Gikovate

tece quando surgem fortes envolvimentos emocionais, mais comuns entre mulheres. Assim como umas tantas mulheres casadas com homens de modo inesperado se envolvem com outras mulheres, não são raras as que, vivendo uma vida homossexual, de repente se apaixonam por uma figura masculina e passam a ter experiências eróticas com seus novos parceiros sentimentais.

Ao contrário do que ocorre com as mulheres, os homens com história exclusivamente homossexual quase nunca migram para o outro lado da muralha. Algumas das complexas características da homossexualidade masculina foram abordadas aqui. Podem existir outras, que são polêmicas e transbordam as fronteiras deste trabalho.

quarenta e dois

Já antecipei minha meta principal: a de contribuir para a derrubada desse muro artificial, construído à base de preconceitos de todos os tipos, medos de fracassos que não deveriam existir, precário entendimento sobre as questões relativas à sexualidade, pouca atenção dada às consequências de distinguir tão drasticamente os papéis correspondentes a cada sexo (ou seja, aos gêneros), afora a total incapacidade dos adultos de pensar nos assuntos da existência de forma lúdica.

São tantas as variáveis implicadas em nosso futuro, do ponto de vista sexual — variáveis de caráter inato (biológico), determinadas pela nossa história de vida (psicológicas) e também pelo contexto sociocultural em que vivemos —, que tudo pode acontecer. É uma pena que essa liberdade não possa ser exercida, pois quando uma pessoa diz a si mesma "Eu sou heterossexual" ou "Eu sou gay" ela determina e delimita as fronteiras em que vai atuar.

Registrei, ao longo do livro, todas as variáveis que me ocorreram e que, acredito, interferem no encaminhamento da vida sexual adulta de cada um de nós; certamente existem muitas outras. Meu empenho principal

Sexualidade sem fronteiras
Flávio Gikovate

ficou centrado na ideia de que o sexo é fenômeno essencialmente pessoal ao longo de toda a vida adulta, ganhando conotação interpessoal apenas quando acoplado ao amor. Enfatizei a importância da forma como cada criança, a partir da mais tenra idade, observa o mundo: a existência de dois sexos e dois gêneros pode trazer grande confusão, pois a criança talvez se reconheça, por exemplo, do sexo masculino e se identifique mais com as atividades e o jeito de ser do gênero feminino. Reforcei uma ideia antiga que defendo: a de que o sexo tem, por motivos biológicos e culturais, forte associação com a agressividade, aliança essa que tem enorme poder de influenciar a vida erótica de uma pessoa.

Acho que fui bem claro em afirmar minha convicção de que o pavor da homossexualidade que reina, até hoje, no seio das famílias e reforça as posturas agressivas e competitivas comuns a tantos meninos (mas não a todos) gera mágoas e ressentimentos fortes naqueles que não conseguem estar à altura da expectativa social e familiar. Estes últimos crescem inseguros acerca de sua virilidade, com medo de fracasso com as mulheres e com raiva das figuras masculinas. A adolescência corresponde à chegada, entre outras características, do desejo visual masculino, condição favorável às meninas, especialmente as mais atraentes, que intimida muito os moços mais inseguros. Os que têm raiva de homens podem, em virtude da associação entre sexo e agressividade que se estabeleceu ao longo da infância, perceber que o desejo visual migrou na direção de objetos masculinos.

Sexualidade sem fronteiras
Flávio Gikovate

Moças que crescem ressentidas com sua condição costumam mudar de ideia quando percebem as vantagens de ser objeto do desejo. Rapazes muito bonitos, que são objeto do desejo de outros homens cujo desejo visual já migrou nessa direção, sentem-se prestigiados e envaidecidos e não raro assumem a mesma postura passiva das moças: a de gostar mais do que tudo de ser desejados. Numa frase, a ênfase da nossa cultura no ingrediente do sexo voltado para o desejo, menosprezando o aspecto da excitação (que deriva das trocas de carícias tácteis), reforça a tensão entre homens e mulheres, privilegia as mais bonitas e predispõe à passividade moços mais bonitos e, por isso mesmo, muito atraentes aos olhos de outros moços.

Meu intuito é reforçar a importância da excitação e reafirmar a ideia de que "desejo não é ordem" (como já escrevi no meu livro anterior, Sexo). Acredito que essa forma de pensar abre uma enorme avenida para que possamos voltar a conceber o sexo de forma lúdica, algo parecido com o que acontece entre meninos e meninas antes da puberdade. Com a chegada da adolescência, as manifestações adultas da vaidade parecem impedir qualquer tipo de brincadeira: tudo tem de ser sério, importante, fonte de sucesso e destaque.

O erotismo infantil é pura brincadeira, troca de carícias (ou manipulação solitária) entre parceiros de qualquer sexo. O objetivo é apenas o do entretenimento, do prazer. Não há preocupação com desempenho e muito menos medo de fracasso, como acontece na mente

Sexualidade sem fronteiras
Flávio Gikovate

adulta, especialmente na dos homens. Os meninos não atribuem, como fazem os adultos, à mulher o papel de avaliá-los, de dizer se são "bons de cama" ou não, viris ou não. Não nos apercebemos com clareza, mas a chegada da vaidade tira a graça, a leveza e a alegria de quase tudo, inclusive do sexo.

Penso que é conveniente separar o sexo em dois componentes fundamentais: o primeiro corresponde ao sexo reprodutor, forçosamente de caráter heterossexual. O segundo é o sexo lúdico, exercido de modo solitário ou em práticas que envolvem diversos parceiros ou um par específico. O sexo praticado com parceiros variados pode envolver os dois sexos ou apenas um deles, dependendo das circunstâncias e das preferências de cada um. O ideal, porém, é que se trate de genuína preferência e não de limitações definidas por normas e regras rígidas e imutáveis fundadas no medo ou em preconceitos.

Minha proposta, por ora difícil de ser implementada, seria a de um mundo sem preconceitos (não só os de natureza sexual) no qual o sexo fosse verdadeiramente lúdico. Isso significaria tratá-lo como uma brincadeira em que não cabem cobranças, preocupações com desempenho e medo de fracasso, e na qual podemos considerar que tudo que é de consentimento recíproco é igualmente legítimo. Nesse contexto, não há mais como usar termos como "homossexualidade", "heterossexualidade" ou "bissexualidade". Todos eles passam a designar uma única condição: a sexualidade.

Sexualidade sem fronteiras
Flávio Gikovate

As pessoas que vivem de acordo com a sexualidade não têm compromisso com seu passado sexual e podem se movimentar dentro do espectro das possibilidades da sexualidade livres e isentas de qualquer norma ou preconceito. Elas se fixarão em determinado território tanto em função de suas convicções e deliberações racionais como em decorrência de outro impulso que, na prática, se sobrepõe ao erótico: o encantamento amoroso de ótima qualidade.

www.gruposummus.com.br

IMPRESSO NA
sumago gráfica editorial ltda
rua itauna, 789   vila maria
02111-031   são paulo   sp
tel e fax 11 **2955 5636**
sumago@sumago.com.br